Armand M

LA PUBLICITÉ

Éditions La Découverte
1, place Paul-Painlevé, Paris Ve
1990

Du même auteur

A La Découverte

L'Ordinateur et le tiers monde (avec. H. Schmucler), coll. « Cahiers libres », 1983 (éditions en anglais, espagnol).
La Culture contre la démocratie ? (avec X. Delcourt et M. Mattelart), coll. « Cahiers libres », 1984 (éditions en anglais, espagnol, portugais).
Penser les médias (avec M. Mattelart), coll. « Textes à l'appui », 1986 (éditions en anglais, arabe, espagnol, italien).
L'Internationale publicitaire, coll. « Textes à l'appui » (éditions en anglais, espagnol, italien).

Chez d'autres éditeurs

Mass media, idéologies et mouvement révolutionnaire, Chili 1970-1973, Anthropos, 1974 (éditions en anglais, espagnol, portugais).
Multinationales et systèmes de communication, Anthropos, 1976 (éditions en anglais, espagnol, italien, japonais, portugais).
Donald l'imposteur (avec A. Dorfman), Alain, Moreau, 1977 (traduit en douze langues).
De l'usage des médias en temps de crise (avec M. Mattelart), Alain Moreau, 1979 (éditions en espagnol, italien).
Télévision : enjeux sans frontières (avec J.-M. Piemme), Presses universitaires de Grenoble, 1980.
Technologie, culture et communication, Rapport au ministre de la Recherche et de l'Industrie (avec Y. Stourdzé), La Documentation française, 1982 (éditions en anglais, espagnol).
Le Carnaval des images. La fiction brésilienne (avec M. Mattelart), La Documentation française-INA, 1987 (éditions en anglais, espagnol, portugais).

Si vous désirez être tenu régulièrement au courant de nos parutions, il vous suffit d'envoyer vos nom et adresse aux Éditions La Découverte, 1, place Paul-Painlevé, 75005 Paris. Vous recevrez gratuitement notre bulletin trimestriel **A la découverte.**

ISBN 2-7071-1916-4

Introduction

Pour des centaines de millions de téléspectateurs autour du globe, le bicentenaire de la Révolution et de la déclaration des droits de l'homme et du citoyen a surtout été celui du défilé-opéra sur les Champs-Élysées, le soir du 14 juillet 1989. Pour sa conception et mise en scène, le ministère de la Culture et de la Communication s'en est remis à un « créatif » connu, auteur notamment de spots de télévision réalisés pour Kodak ou Orangina. Raisons de ce choix : la légèreté d'une expression en phase avec la modernité qui s'opposait à la lourdeur pédagogique des leçons d'histoire commémorative.

Signe de l'air du temps. Dans les années quatre-vingt, partout dans le monde des économies de marché et souvent avec un retard de quelques décennies sur les États-Unis, les vieilles institutions, à la recherche d'un bain de jouvence, se sont, l'une après l'autre, ralliées à l'art et à l'imaginaire publicitaires pour redéfinir leur rapport à la société. L'Église pour collecter le denier du culte, l'armée pour recruter, l'État pour secouer sa relation bureaucratique avec ses administrés, les organisations charitables pour tendre la sébile désertée par l'État-providence. La stratégie de construction de l'image d'un candidat n'a plus de secrets pour des grandes formations qui, hier encore, refusaient de se compromettre avec le marketing électoral et préféraient le contact direct avec l'électeur au nom de la résistance aux formes marchandes et à l'« américanisation » de la vie politique.

L'effet-publicité qui ressemble comme un clone à l'effet-modernité est devenu incontournable. Sans eux, tout paraît terne. Même si personne n'est assez ingénu pour penser que les campagnes et mises en images ramèneront les fidèles dans les lieux du culte, ranimeront la flamme patriotique et pousseront les électeurs vers les isoloirs.

Avec le bruit fait autour de la publicité comme art de déritualiser les institutions, on en oublierait presque qu'elle est aussi une industrie. Une industrie qui pèse de plus en plus lourd. On en oublierait également qu'elle est elle-même une institution.

OPA, concentrations en chaîne, tous ces phénomènes qui battent leur plein dans les autres secteurs de l'économie, la publicité les connaît de l'intérieur. Elle est désormais partie prenante du jeu boursier qui ne se conçoit qu'à dimension mondiale. La bataille pour le contrôle des réseaux d'agences accompagne celle des firmes commerciales et industrielles à envergure transnationale pour la conquête des parts de marché planétaire.

Le processus de regroupement que l'on observe dans la formation des mégagroupes publicitaires a son parallèle dans la construction des conglomérats multimédias. Les uns renforcent les autres et vice versa. L'intégration publicité-médias a subi un saut qualitatif. L'acteur publicitaire, promu grand argentier des médias, est de plus en plus intéressé à la production et à la programmation de l'image. Avec la privatisation et la dérégulation des systèmes de télévision, la publicité structure un modèle d'organisation et de gestion des médias.

Diversification des annonceurs et des supports, extension géographique des marchés publicitaires, mais aussi multiplication des champs d'intervention professionnelle. La publicité est de moins en moins l'apanage du seul « commis au spot ou à l'annonce ». De nouvelles offres de services sont apparues qui ont élargi l'éventail de ses spécialistes. Des experts qui, désormais, non seulement émettent des diagnostics pour leurs clients, mais s'impliquent dans la décision.

En un mot, la publicité n'a pas seulement changé de *look*, elle a changé de nature. Ce faisant, ce qui a basculé, c'est son rapport à la société. De par le poids qu'elle occupe dans la détermination des systèmes de communication, elle a assumé un rôle d'interlocuteur des pouvoirs publics, à l'échelon national et international. Ses réseaux d'influence font entendre leur voix partout où des décisions sont susceptibles d'être prises qui restreignent l'espace publicitaire. Sous ses revendications et ses expertises, plus que jamais l'institution publicitaire propose un modèle d'organisation des rapports sociaux.

Le but de cet ouvrage : dessiner les contours du nouveau dispositif publicitaire, en retracer la genèse et le mettre en perspective.

I / Les réseaux

1. La vocation transfrontières

Quand la publicité était une affaire intérieure

Au générique de l'acte publicitaire figurent trois acteurs professionnels : l'annonceur, l'agence et le support. Le premier déclenche le processus en commandant un service à la deuxième qui le conseille, conçoit le message et l'oriente vers le troisième. Cette trilogie de l'interprofession publicitaire est universelle depuis que la publicité mérite ce nom. Dans certaines réalités, il existe deux autres protagonistes : la régie et la centrale d'achat d'espaces publicitaires. La régie a comme rôle de faire la promotion et la vente de l'espace publicitaire d'un média ou d'un groupe de médias en particulier. La centrale est spécialisée dans l'achat en gros de l'espace. Alors que la régie est déjà une institution vénérable, la centrale n'a pas encore fêté ses vingt ans. Tous ces acteurs ont un sujet de préoccupation et d'études commun : la cible, métaphore balistique qui désigne et représente le public et les frontières de ce public intentionnellement visé par les messages. Il y a un « cœur de cible » comme il y a des marges de cible.

Avant que ne se stabilisent rôles et répertoires, il a fallu passer de l'« annonce » à la « réclame », de la réclame à la publicité, de la publicité nationale à la publicité transfrontières. De marginale, artisanale et empirique, sans intermédiaires, la production publicitaire est progressivement devenue, avec l'irruption et l'approfondissement du mode capitaliste dans la sphère de la consommation, centrale, industrielle et scientifique, fondée sur des intermédiaires.

C'est au Français Théophraste Renaudot — également fondateur de la *Gazette* — que l'on a coutume d'attribuer l'invention de l'agence de publicité. Du moins sous sa forme primitive. Ce publiciste fonde en 1630 un « bureau de rencontre et d'adresse » dans la capitale, s'inspirant directement du projet romantique de Montaigne. Le philosophe des *Essais* avait, en effet, rêvé de faire de l'« annonce » (« advertissement » en vieux français) un moyen de « régler le problème des pauvres », un moyen de « s'entr'advertir » pour « s'entr'entendre » dans le prolongement des institutions de charité et d'assistance publique. Bref, un service public où convergeraient les offres des uns et les demandes des autres. Dans la première agence de Renaudot, la propagande politique a autant de part que la réclame économique. Dès le XVIIe siècle, les Britanniques adoptent la formule du « bureau » tout en l'adaptant. En revêtant l'habit de l'*advertising*, l'« advertissement » de Montaigne perdra outre-Manche sa connotation de service public et y gagnera ses premiers galons marchands [1]*.

Alors qu'en France, agence de publicité et support publicitaire restèrent séparés pendant toute la durée de l'Ancien Régime, le support mixte, c'est-à-dire celui qui combine des nouvelles et des annonces dans un même organe, existe déjà à Londres dès la fin du XVIIe siècle. Ce n'est qu'avec la transformation du journal d'opinion en organe d'information que le support mixte trouve définitivement son assise. Cette évolution se parachève en 1836 avec le lancement de *La Presse* par Émile de Girardin. Dans la recherche du « grand nombre » — impensable, selon de Girardin, sans le concours des « annonces payées » —, d'autres formules à succès verront le jour à la même époque. Ce sera la mission du feuilleton ou littérature de série, première expression de la « sérialité » de la culture de masse.

Dans les mêmes parages, cette liberté conquise par la presse à l'époque romantique ouvre la voie à la fondation de l'agence Havas, première entreprise de distribution et de collecte de nouvelles d'envergure internationale. Le créateur de l'agence de presse ne s'arrête pas en chemin et imagine la formule de « régie de publicité », institution typiquement française. A travers le mandat que lui confient les journaux de gérer la vente de leurs espaces publicitaires, la régie Havas

---

* Les chiffres entre crochets renvoient à la bibliographie en fin de volume.

constitue le premier réseau de contrôle des flux de ressources publicitaires qui s'ajoute à celui du contrôle des flux d'information. Ainsi naissait le premier groupe multimédias de l'histoire qui survécut à tous les régimes jusqu'à la fin de la Seconde Guerre mondiale où l'intervention de l'État mit fin à ce modèle intégré en nationalisant l'agence de presse, la future AFP. Un seul cas dans l'histoire des médias soutient la comparaison : celui du géant japonais de la publicité Dentsu, première agence mondiale depuis les années soixante-dix, qui, lui aussi, est né comme courtier d'espaces à l'ombre d'une agence de presse (Kyodo) au tournant du siècle et n'a eu de cesse de réussir son intégration horizontale et verticale. Le poids démesuré acquis par l'un et l'autre dans le paysage médiatique de leurs pays respectifs a valu à Havas d'être surnommé la « pieuvre » et à Dentsu la « grande amibe ».

On a les ancêtres que l'on mérite. Les Américains célèbrent comme précurseur de leur publicité un des pères de la nation, Benjamin Franklin, qui, dès 1729, a fait coexister harmonieusement annonce et information dans sa *Pennsylvania Gazette*. S'ils reconnaissent qu'il ramena de son séjour en Angleterre son modèle de journal et de publicité, les historiens d'outre-Atlantique le créditent néanmoins d'une innovation essentielle : le graphisme. A l'annonce-bloc compact de trois ou quatre lignes, inégales et composées dans une typographie tremblante, Franklin apporta de l'espace, joua sur les caractères et surtout introduisit les premières illustrations. Dans les universités, les étudiants américains apprennent aujourd'hui que « nombre de techniques de base de la publicité moderne se trouvaient déjà dans les publicités du fourneau qu'il inventa et que, bien que les femmes de l'époque n'aient pas encore conquis le droit de tenir les cordons de la bourse familiale, il eut l'intuition que c'était à elles qu'il fallait d'abord s'adresser [2] ».

L'émergence de la puissance américaine

La première agence de publicité américaine fut fondée par Volney B. Palmer en 1841. Quatre années après que William Procter et James Gamble eurent réuni leurs capitaux pour construire leur première fabrique de savon et de bougies qui est, plus de cent cinquante ans plus tard, le premier annonceur sur le marché mondial. Dans les années soixante, deux autres agences suivirent : N.W. Ayer & Son et J. Walter Thompson. Toutes deux ont fêté leur cent trentième anniversaire.

Ce n'est toutefois pas avant les années vingt/trente que les agences américaines acquerront leur véritable physionomie professionnelle (voir chapitre VI). La rationalisation du travail publicitaire sera aussi une réponse directe à la grande dépression qui, à la différence de ce qui se passera quelque quarante ans plus tard avec la crise dite de l'énergie, provoquera la désertion des grands annonceurs et l'hécatombe parmi les agences.

C'est cette période que les plus grandes choisissent pour commencer à tisser autour de la planète leur réseau de filiales étrangères. En tête, J. Walter Thompson qui jusqu'alors n'avait établi à l'extérieur qu'une antenne à Londres en 1899. En un temps record, la vieille agence américaine se retrouve en Belgique, en Espagne, en France, en Allemagne, en Suède, au Brésil, en Argentine, au Canada, en Inde, en Australie, etc. Elle n'a fait qu'emboîter le pas aux réseaux d'usines de son client-annonceur, la General Motors, le fabricant automobile auquel se sont progressivement ajoutés d'autres annonceurs américains tels Libbys, Kraft, Ponds ou Quaker Oats. Son concurrent immédiat, Mc Cann-Erickson, fondé peu avant la Première Guerre mondiale, essaimera à son tour à travers le monde en suivant son commanditaire, Esso. Les deux agences ne rencontrent sur les marchés internationaux que très peu de rivaux. Seuls les Britanniques avec des agences comme Lintas, née dans le giron du lessivier Lever Bros., se sont précipités à l'étranger avec les fleurons de leurs industries. A l'époque, la publicité en France sort à peine de l'« enfer de la réclame ». Premier pas vers sa modernisation, Marcel Bleustein-Blanchet fonde Publicis en 1926 après un détour par l'industrie phare de Madison Avenue, symbole du rayonnement publicitaire des États-Unis [3].

La guerre vint stopper net la croissance des réseaux. A New York comme à Londres, les agences de publicité se mettent au service de l'économie de la mobilisation générale.

L'âge d'or de l'hégémonie

Entre 1945 et 1963, l'industrie américaine — toutes catégories confondues — a quadruplé ses investissements à l'étranger. En 1966, il n'y avait dans le monde que 87 firmes affichant un chiffre d'affaires supérieur à un milliard de dollars et 60 d'entre elles avaient leur siège aux États-Unis.

La position hégémonique des réseaux d'agences américaines ne faisait que traduire une suprématie industrielle et commerciale. Entre 1960 et 1971, ces agences ont ouvert 291 filiales ou bureaux étrangers contre 59 au cours des quarante-cinq années antérieures. A la fin du second conflit mondial, seules J. Walter Thompson et Mc Cann-Erickson pesaient sur le marché international. Un quart de siècle plus tard, sur les 25 leaders de l'industrie publicitaire aux États-Unis, seules quatre agences n'avaient jamais mis les pieds dehors.

TABLEAU I. — L'INTERNATIONALISATION DES RÉSEAUX AMÉRICAINS DANS LA PÉRIODE DE SON ESSOR

Réseaux	*% du chiffre d'affaires hors États-Unis*		
	1958	*1968*	*1976*
J. Walter Thompson	29,1	37,3	50,4
Young & Rubicam	14,2	24,4	38,7
Mc Cann-Erickson	21,9	45,9	66,8
Leo Burnett	2,8	3,7	30,5
Ted Bates	—*	39,8	50,0
BBDO	0,8	5,3	32,2

* Non disponible.

Source: Advertising Age.

Partout où elles s'installent, c'est la débandade. Peu d'industries publicitaires nationales tiennent le coup. En Grande-Bretagne, en Italie, en République fédérale d'Allemagne, en Belgique, en Espagne, aux Pays-Bas, mais aussi en Amérique latine et dans certains pays asiatiques, J. Walter Thompson, Mc Cann-Erickson, Leo Burnett, BBDO, Young & Rubicam, Ogilvy & Mather, etc., se distribuent les premiers postes soit en fondant des filiales à part entière, soit par le truchement de prises de participation dans des agences locales. Stratégie qui est souvent le prélude d'une absorption, comme en témoigne le plus clairement la façon dont a été décimée l'industrie espagnole, belge ou portugaise, par exemple. Seuls des îlots subsistent qui, en dépit d'une forte pression transnationale, parviennent à conserver et, même, à développer de fortes agences nationales. Parmi ceux-ci, des pays aussi divers que la Suisse, la Finlande et le Brésil.

Trois industries nationales résistèrent mieux que toutes les autres : celles de la France, du Japon et de la Corée du Sud. Mais seules les grandes agences françaises commencèrent à élaborer un embryon de stratégie internationale dès le début des années soixante-dix. En 1972, Publicis s'internationalise en Europe en reprenant un réseau suisse et un réseau d'Amsterdam. Havas, quant à lui, va de déconvenue en déconvenue malgré la fondation, en 1968, de son réseau international Univas et ses alliances croisées avec les Américains et les Britanniques. Au Japon, seule la seconde agence du pays, Hakuhodo, commence dans ces années-là à se positionner sur le marché international en s'alliant à Mc Cann-Erickson et en visant le marché chinois. Dentsu ne fera le pas que dans les années quatre-vingt. Quant à la Corée du Sud, si elle a réussi à tenir en lisière les agences américaines, c'est parce que toutes ces années-là, elle a appliqué avec fermeté une loi interdisant toute prise de participation par des étrangers dans les sociétés du secteur. En outre, les grandes agences de Séoul ne font qu'un avec les grands groupes industriels comme Samsung.

Mais la fin des années soixante-dix se termine, au niveau de l'ensemble de l'économie mondiale, sur une recomposition des hégémonies. La part des entreprises américaines dans les flux d'investissements directs internationaux ne représente plus que 30 %, à savoir moins de la moitié de ce qu'elle était dans la décennie précédente. D'autres acteurs ont surgi et les États-Unis eux-mêmes sont devenus un territoire pour les nouveaux investisseurs étrangers.

Il faudra cependant attendre la seconde moitié des années quatre-vingt pour que ce rééquilibrage de l'économie mondiale ait sa traduction dans un réajustement de la structure de l'industrie publicitaire internationale. Les acteurs en présence : essentiellement, les Américains, les Britanniques, les Japonais et les Français.

2. Le nouvel échiquier

Bilan de la décennie des prédateurs

Pendant quarante ans, la structure de la propriété des réseaux internationaux est restée étonnamment stable. Invariablement, les mêmes agences — en majorité américaines — se sont distribué les vingt premières places. Seul le japonais Dentsu a réussi à tenir la dragée haute aux firmes de Madison Avenue. Et, tout à coup, en moins de cinq ans, le paysage publicitaire s'est complètement modifié. Ce qui suit explique ce qui a changé [4].

• *La mégafusion comme règle de conduite.* Les agences américaines avaient donné le coup d'envoi en 1978. Mc Cann-Erickson et SSC & B : Lintas fusionnaient alors sous l'égide du groupe Interpublic. Pour prévenir les reproches des annonceurs qui s'inquiètent déjà à l'époque de ce croisement entre agences qui souvent gèrent des budgets d'annonceurs concurrents et donc susceptibles de rentrer en conflit, le groupe américain inaugure un mode différent d'organisation des réseaux: deux réseaux cloisonnés, en compétition, comme s'ils étaient aux mains de deux propriétaires, mais versant leurs profits au même centre. Le modèle fera école.

Mais en matière de fusion, le pionnier était un enfant de chœur. Sept ans plus tard, se déclenche la rafale des OPA (offre publique d'achat) contre les réseaux américains. Sauvages, semi-hostiles ou amicales. Les protagonistes en sont les groupes britanniques qui mettent à profit la déréglementation des marchés financiers de la City. Il en résulte qu'à la fin de la décennie deux groupes britanniques, sensiblement du même calibre, avaient détrôné Interpublic et les autres américains. Il s'agit de Saatchi & Saatchi (qui a notamment repris Ted Bates et Backer/Spielvogel) et WPP, propriété de l'ancien directeur financier des Saatchi, qui en deux ans à peine a avalé J. Walter Thompson et Ogilvy & Mather. En 1984, WPP venait à peine de naître et les premiers pas des Saatchi remontent à 1970.

L'offensive des groupes britanniques de publicité en direction des États-Unis est contemporaine de celle des groupes multimédias venus d'Europe, d'Australie et du Japon. Ainsi le numéro un de l'édition européenne, l'allemand Bertelsmann, a-t-il repris l'éditeur Doubleday et les disques RCA-

TABLEAU II. — LES GRANDES AGENCES MONDIALES (1977)

Agences	*Marge brute**	*C.A.**
	(en millions de dollars)	
1. Dentsu (Japon)	213	1 415
2. J. Walter Thompson (EU)	189	1 262
3. Young & Rubicam (EU)	165	1 106
4. Mc Cann-Erickson (EU)	163	1 083
5. Ogilvy & Mather Int'l (EU)	128	866
6. BBDO International (EU)	119	781
7. Leo Burnett (EU)	116	786
8. SSC&B : Lintas (EU-GB)	100	656
9. Ted Bates (EU)	99	731
10. Grey Advertising (EU)	97	642
11. Foote, Cone & Belding (EU)	89	594
12. D'Arcy-MacManus & Masius (EU)	81	538
13. Doyle Dane Bernbach (EU)	75	500
14. Dancer-Fitzgerald-Sample (EU)	72	505
15. Benton & Bowles (EU)	71	483
16. Hakuhodo Inc. (Japon)	70	456
17. Campbell-Ewald (EU)	61	411
18. N W Ayer ABH Int'l (EU)	57	380
19. Kenyon & Eckhardt (EU)	46	296
20. Needham, Harper & Steers (EU)	41	275

* La marge brute (*gross income* en anglais) d'une agence est définie comme la somme de la commission forfaitaire de 15 % (voir texte) majorée du montant des frais de production. Le chiffre d'affaires représente le total des facturations (*billings* en anglais) aux annonceurs, c'est-à-dire la somme des budgets qui lui sont confiés, y compris la rémunération des espaces publicitaires occupés dans les médias.

Source : Advertising Age, 17 avril 1978.

Ariola ; Hachette a acquis le numéro un mondial des encyclopédies (Grolier) et celui des magazines (Diamandis) ; le britannique Maxwell a racheté la maison d'édition McMillan ; l'australo-américain Rupert Murdoch, les éditions Triangle, 20th Century Fox et bien d'autres ; le japonais Sony les disques CBS et le *major* Columbia. La riposte des États-Unis à cette pénétration étrangère dans leurs industries culturelles a pris la forme en 1989 du rapprochement Time-Warner Communications, désormais premier groupe multimédias mondial.

• *La logique financière aux postes de commande.* Peu de grandes agences sont restées « indépendantes », c'est-à-dire

TABLEAU III. — LES GRANDS GROUPES MONDIAUX (1988)

Groupes	*Marge brute*	*C.A.*	*% C.A. hors EU*
	(en millions de dollars)		
1. Saatchi & Saatchi (GB)	1 990	13 529	53
2. Interpublic (EU)	1 260	8 402	65
3. WPP (JWT) (GB)	1 173	7 825	46
4. Omnicom (EU)	986	7 072	39
5. Ogilvy (EU)	868	5 703	53
6. Eurocom (F)	500	3 343	93
7. WCRS (GB-F)	335	2 914	74
8. Lowe-Howard-Spink (GB)	197	1 316	70
9. Bozell (EU)	194	1 347	12
10. GGK (Suisse)	85	578	70

Source : Advertising Age, 29 mars 1989.

TABLEAU IV. — LES GRANDES AGENCES MONDIALES (1988)

*Agences**	*Marge brute*	*C.A.*
	(en millions de dollars)	
1. Dentsu (Japon)	1 229	9 450
2. Young & Rubicam (EU)	758	5 390
3. Saatchi & Saatchi Worldwide (GB)	740	5 035
4. Backer Spielvogel/Bates (GB)	690	4 678
5. Mc Cann-Erickson Worldwide (EU)	657	4 381
6. FCB-Publicis (EU-France)	653	4 358
7. Ogilvy & Mather Worldwide (EU)	635	4 110
8. BBDO Worldwide (EU)	586	4 051
9. J. Walter Thompson (GB)	559	3 858
10. Lintas : Worldwide (EU)	538	3 586
11. Hakuhodo International (Japon)	522	3 939
12. Grey Advertising (EU)	433	2 886
13. D'Arcy Masius Benton Bowles (EU)	429	3 361
14. Leo Burnett (EU)	428	2 865
15. DDB Needham Worldwide (EU)	400	3 020
16. WCRS Worldwide (GB-F)	290	2 029
17. HDM (France-Japon-EU)	279	1 938
18. RSCG (F)	210	1 527
19. Lowe, Howard-Spink-Bell (GB)	197	1 316
20. N. W. Ayer (EU)	185	1 348
* Classées par nationalité du groupe qui les contrôle le cas échéant.		

Source : Advertising Age, 29 mars 1989.

en marge des spéculations boursières. Rares sont celles à ne pas être cotées, plus particulièrement parmi les britanniques et les américaines. Une statistique parlante : sur les vingt plus grandes agences américaines restées indépendantes dans les décennies précédentes, seules quatre n'étaient pas encore inscrites en Bourse en 1989. Cette entrée dans l'univers financier en vue d'y pomper des fonds pour se développer est fortement critiquée par les responsables des agences qui ont choisi l'indépendance. Telle Young & Rubicam, seconde mondiale au classement des agences individuelles, qui, en contrepoint, met en valeur les avantages de son option : les parts de l'agence sont aux mains d'un dixième du personnel (10 000 employés) et aucun ne possède plus de 5 % ; les managers ne sont pas toujours en train de lorgner sur le cours des actions et peuvent se consacrer entièrement aux intérêts de leurs clients et distraire des fonds pour la formation.

La soumission au jeu boursier et à la stratégie de l'endettement rend les méga-agences et les méga-réseaux extrêmement vulnérables. Leurs leaders ne sont propriétaires que de 2 % à 4 % des actions, comme c'est le cas de WPP et Saatchi. Toute baisse dans les dividendes, tout fléchissement de la croissance est susceptible de se transformer en rumeurs d'OPA. La presse financière et les concurrents ne s'en privent d'ailleurs guère, tant il est vrai que l'emballement médiatique est devenu une loi du milieu. Dans l'ascension irrésistible comme dans la chute. Les Saatchi en ont fait l'expérience amère au cours de 1989. Année où le premier groupe mondial a dû faire face, pour la première fois de son histoire, à une baisse de ses profits de près de 50 % et aux difficultés de sa branche conseil de direction. Le prédateur métamorphosé en proie, le bal des actions a repris de plus belle. Le groupe Fininvest de M. Silvio Berlusconi, notamment, a saisi l'occasion pour acheter 1 % du réseau anglais.

• *Les alliances croisées.* Comme tous ne peuvent pas ou ne veulent pas se lancer dans la course effrénée aux OPA, mais comme chacun doit penser en termes de regroupement pour contrer l'« effet-mégafusion », diverses formes de partenariat ont surgi : création d'une nouvelle société, échange de participations. Ainsi est née, par exemple, en 1987, HDM (H pour Havas-Eurocom, D pour Dentsu, M comme Marsteller, filiale de Young & Rubicam), société où le premier groupe français, la première agence japonaise et la première agence des États-Unis détiennent chacun 33 % des parts. L'objectif étant d'assurer à chacun une meilleure présence sur les marchés internationaux en s'appuyant sur des partenaires leaders sur leur propre marché. L'année suivante, la franco-française Publicis a échangé des parts avec le réseau américain FCB (Foote, Cone & Belding) pour parachever son réseau européen et lui donner une véritable dimension mondiale. En 1989, le réseau Publicis-FCB était premier en Europe.

Mais dans ce secteur, rien ne vieillit plus vite que le contemporain ; rien ne se démode plus rapidement que les dernières données sur les ultimes configurations des réseaux transnationaux. En octobre 1989, Eurocom annonçait qu'elle prenait le contrôle de 60 % de la branche « publicité » du groupe britannique WCRS. Ce faisant, le premier groupe français est entré dans la cour des grands. Son nouveau réseau, baptisé EWDB (pour Eurocom-WCRS-Della Femina-Ball, ces deux derniers étant des filiales de l'agence anglaise), est implanté dans près d'une quarantaine de pays. Eurocom conserve par ailleurs son réseau HDM avec ses partenaires des États-Unis et du Japon.

Ce type de regroupement et de croisements de réseaux est à l'œuvre dans tous les segments de l'industrie publicitaire. Exemple : l'affichage et les gratuits. En 1988, le français Avenir et le britannique Mills & Allen, premiers sur leurs marchés nationaux de l'affichage, se sont rapprochés en échangeant des parts et ont mis sur pied une filiale commune, Europoster. A peine un an après, Havas Média Région resserrait ses liens avec la firme britannique et constituait le premier groupe européen d'affichage, de journaux gratuits et de régie de presse. Trois secteurs de la publicité qui, en France, outre une longue tradition, peuvent faire valoir une santé florissante.

• *L'enjeu du contrôle de l'espace publicitaire.* Réponse à la concentration des groupes multimédias et publicitaires, les centrales d'achat d'espaces, d'envergure continentale quand ce n'est pas mondiale, ont fait leur apparition. La formule imaginée par les Français (mais aussi par les Britanniques) dans les années soixante-dix sur leur territoire national se généralise. La puissance détermine le niveau des ristournes obtenues auprès des médias. Patrie du concept « centrale d'achat », la France est à l'avant-garde de son application. En 1989, 83 % des achats d'espaces publicitaires dans l'Hexagone transitaient par les centrales contre 16 % en Grande-Bretagne, 45 % en Espagne et 60 % en Belgique. Trois groupes se partagent 60 % du marché français : Carat-Espace, Publicis et Eurocom, le reste se répartissant entre quelque 70 sociétés. Encore faut-il signaler, d'une part, que pour arriver à la seconde place, Publicis a fait alliance avec le groupe américain Interpublic en 1989 et, d'autre part, que Eurocom et Carat-Espace détiennent chacun, depuis octobre de cette même année, 14,9 % des actions de la branche « centrale d'achat » du groupe britannique WCRS. A cette date, ce dernier a acquis l'intégralité de Carat-Espace International. Le géant de l'achat d'espace qui a émergé de cette alliance pèse environ 40 milliards de francs de chiffre d'affaires en Europe.

En regroupant en 1988 la totalité de ses achats d'espace et ceux de ses filiales dans la centrale Zenith, Saatchi a précipité le mouvement. Pour la première fois de leur histoire, les réseaux originaires des États-Unis adoptent le mécanisme et croisent leurs potentiels à l'échelle planétaire. Ainsi est né en 1989 The Media Partnership, première centrale d'achat planétaire, grâce à l'union Omnicom/Ogilvy & Mather/J. Walter Thompson. Si, sur le vieux continent, la centrale WCRS/Carat pèse presque autant que son concurrent américain, celui-ci reste largement en tête sur le plan mondial, empilant un chiffre d'affaires plus de trois fois supérieur.

La fronde des annonceurs

De même que les opérations de privatisation d'une chaîne de télévision signifient en quelque sorte la cession de ses audiences au nouveau propriétaire, les mégafusions entre agences peuvent être vues comme des opérations où les annonceurs servent de monnaie d'échange. C'est, en tout cas, ainsi que beaucoup d'annonceurs le perçoivent. Le patrimoine d'une agence, c'est, en effet, son paquet de budgets-clients. De la même façon que le téléspectateur n'a pas droit à la parole dans le transfert du patrimoine-audiences, l'annonceur n'a pas non plus voix au chapitre lorsqu'il est transféré avec le fonds de commerce. Or les annonceurs apprécient de moins en moins d'être une valeur d'échange. Les réseaux nés de croisements entre géants en ont fait la triste expérience lorsque de vieux clients ont résilié leur contrat par peur de se trouver nez à nez avec leur concurrent de toujours et de perdre le traitement d'exclusivité que chacun réclame.

Leur révision à la baisse des coûts aidant, de plus en plus d'annonceurs, forts de la puissance de leurs budgets, repensent leur rapport à leurs agences. Comme celui-ci est régi depuis un siècle et demi par la règle d'or de la commission (l'agence qui passe un ordre d'insertion pour le compte d'un annonceur reçoit un forfait de 15 %), c'est notamment autour des systèmes de rémunération de l'agence que se cristallise la partie de bras de fer. D'aucuns voient d'un bon œil la suppression de cette commission, ou tout au moins une réduction substantielle du taux, et l'instauration d'un système plus proche de celui en vigueur dans les professions libérales : celui des honoraires. Au besoin, une combinaison des deux formules. La tension couve depuis l'implantation des politiques de libération des prix dans les années soixante-dix. Elle s'est faite plus forte sous les vents du néo-libéralisme des années quatre-vingt. La question est loin d'être résolue. Si la Suède, par exemple, dérogeait à la règle de la commission dès 1978, les agences américaines, en revanche, étaient encore dix ans plus tard très réticentes sur son abrogation. Moralité : la chose la plus difficile en ces temps de déréglementation est sûrement de s'autodéréglementer.

La déréglementation des systèmes télévisuels a, cependant, commencé à déstabiliser les règles fixées dans le marbre. Elle a notamment amené l'idée du tarif indexé sur l'audience et l'efficacité des campagnes en termes de vente. Toutes choses qui ont, d'ailleurs, précipité la réévaluation des méthodes de mesure (voir chapitre III). Toutes choses aussi qui traduisent un processus de rationalisation majeur de ce champ de l'économie des services, socle de la société tertiaire de demain. Car les annonceurs en profitent également pour faire le point sur l'ensemble de leurs stratégies de communication avec, certes, les consommateurs, mais aussi avec l'ensemble de la société (voir chapitre V).

L'entreprise intégrée : les aléas de la diversification

Quel est le profil des services offerts par les réseaux ? Quelle est, en fait, leur stratégie d'intégration verticale et horizontale ?

Pour répondre, il faut d'abord parler d'un échec qui a fait date : celui de Saatchi & Saatchi dans sa tentative de créer l'« entreprise intégrée de services de communication ». Le projet Saatchi était de mordre sur les terrains d'expertise propres aux grandes firmes de l'audit telle Arthur Andersen. En reprenant de nombreux cabinets américains de la spécialité et en débauchant des experts et des clients d'Andersen, Saatchi construisit en moins de quatre ans sa branche « conseil de direction » *(management consultancy).* Aux entreprises, il offrait non seulement les services classiques de sa branche publicité, mais aussi les outils pour penser l'ensemble de leur organisation et de leur gestion. Il vendait surtout l'idée que dans les stratégies de communication d'entreprise, tous les maillons de l'organisation sont interdépendants et que, parfois, il vaut mieux faire un audit pour savoir ce qui ne fonctionne pas dans les rapports de la firme avec ses clients que de se lancer dans de coûteuses campagnes publicitaires. Dès 1986, le conseil de direction assurait à la firme britannique près d'un quart de son chiffre d'affaires.

Mais la synergie a fait chou blanc. En mars 1989, le groupe annonçait son intention de se défaire de sa branche conseil. Le métier de « comptable » étant trop différent de celui de publicitaire. Motif avancé par le porte-parole du groupe : le marché américain du conseil n'a pas été aussi rémunérateur que prévu. Tout cela uni aux difficultés rencontrées dans la restructuration des réseaux de publicité acquis au cours des dernières années a déstabilisé le socle financier de Saatchi.

Aucun groupe n'a repris le projet « audit » du réseau britannique même si d'aucuns ont fait de la communication d'entreprise une de leurs priorités. La diversification vise surtout ce qu'il est convenu d'appeler la publicité « hors médias ». Une catégorie hétéroclite de moins en moins pertinente pour rendre compte à la fois de l'explosion des champs d'expertise et de la recherche des agences pour les intégrer dans leur stratégie de marketing. En fait, l'acception traditionnelle du « hors-médias » recouvre ce que les Anglo-Saxons dénomment depuis longtemps les activités publicitaires *below the line*, par opposition à celles qui se déroulent dans les grands médias (presse, télévision, radio, cinéma, affichage) appelées *above the line*. Le « hors-médias » comprend ainsi la promotion des ventes, la promo-

La stratégie de l'agence japonaise Dentsu

• En 1987, Dentsu, créée en 1901 et première agence de publicité mondiale depuis 1972, s'est rebaptisée « entreprise de communication ». Son nouveau slogan : *CED-Communications Excellence Dentsu.* Avec ses 5 867 employés, Dentsu a retiré en 1988 de ses activités publicitaires dans les grands médias 70 % de son chiffre d'affaires.

• Pas successifs dans la construction de la « firme de communication », Dentsu s'est diversifiée en créant de nouvelles divisions.

En janvier 1989, elle a fondé une division appelée « Visual Software » (logiciel visuel) dont le siège central est situé à Tokyo. Elle regroupe ses activités de vidéo-marketing (Dentsu produit notamment nombre de ses spots), de coproductions cinématographiques internationales de longs métrages à gros budgets, de production de programmes de télévision. En dehors de la production de shows et de dramatiques, Dentsu a lancé en 1985 *News Station*, un programme d'information d'une heure qui mélange des reportages et des variétés et qu'elle diffuse avec succès sur le réseau commercial ANB. Dans le domaine de l'audiovisuel, Dentsu est présente en temps qu'actionnaire et partenaire actif d'un des cinq réseaux commerciaux du Japon, conçu dès 1951 comme une alternative au service public, ainsi que dans de nombreuses télévisions locales et par câble. Elle a également participé à la mise en place des expériences de télétexte et vidéotex. En outre, elle contrôle le spécialiste nippon de la mesure des audiences (Video Research).

Au cours de l'année 1988, l'agence japonaise a ouvert une division sur l'« identité de l'entreprise » restructurant l'offre de services en communication d'entreprise (voir chapitre v, 1). Elle a créé une nouvelle division radio pour faire face à l'arrivée de nouvelles radios FM et à la segmentation des goûts du public japonais. Sa longue expérience en matière d'organisation d'expositions et de manifestations culturelles et commerciales l'a amenée à redéployer ce service proposé par la division « Développement urbain ». Mission explicite : associer davantage l'organisation de tels événements à l'animation des économies locales. Enfin, l'année 1988 a été celle de sa consécration internationale comme agent de marketing de grands événements sportifs. A travers son alliance avec la firme suisse ISL (Adidas), elle a géré les parrainages pour les jeux Olympiques de Séoul.

Ces nouvelles divisions sont venues s'ajouter aux autres comme les divisions médias, nouveaux médias électroniques, promotion des ventes, marketing direct, relations publiques, sport et culture, organisation de conventions pour les entreprises, etc. Sans compter ses banques informatisées de données multiples.

• L'alliance Havas-Eurocom/Dentsu/Marsteller (HDM) en 1987 a coïncidé avec la création des « Quartiers généraux Opération outre-mer », centre de supervision des activités internationales. A ce réseau qui permet à Dentsu d'être présente dans 24 pays différents (qui somment 95 filiales) s'est ajoutée l'internationalisation de sa division de relations publiques à travers un accord bilatéral, souscrit en 1988, avec un des grands du secteur, l'américain Burson-Marsteller, propriété de son partenaire dans HDM, Young & Rubicam.

Désirant consolider son réseau européen avant l'ouverture du Marché unique, Dentsu, en cavalier seul, a choisi deux points de chute sur le vieux continent : l'Allemagne fédérale (1987) et l'Espagne (1989), créant dans ces pays des filiales propres. Deux marchés complètement dominés par les réseaux transnationaux et qu'elle estime les plus dynamiques. En Espagne, son installation coïncide avec l'arrivée des firmes japonaises dans la péninsule, les jeux Olympiques et l'Exposition de Séville 1992. Ailleurs, c'est surtout en Asie et en Océanie qu'elle a élu de s'installer ou de renforcer son implantation. Ses quatre bureaux principaux ont pignon sur rue à Taïwan, Hongkong, Pékin et Shanghaï tandis que la Thaïlande et l'Australie abritent des filiales. Pour une firme qui en 1980 n'était pratiquement pas sortie de l'archipel, ce n'est pas si mal.

tion sur le lieu de vente, le marketing direct, l'organisation de foires, salons et expositions, le mécénat et le parrainage, etc. Certains y ajoutent même les relations publiques. Mais la diversification hors du champ des grands médias touche aussi la recherche, la production vidéo, le design et le *packaging* (conditionnement ou technique d'emballage des produits).

Pour le moment donc, les services intégrés — ce que Young & Rubicam a baptisé l'approche *Whole Egg* et Ogilvy & Mather l'approche *Orchestration* — s'arrêtent là. Ce n'est d'ailleurs déjà pas rien, surtout lorsque l'on observe les efforts déployés par les réseaux pour articuler les divers produits de la filière publicitaire, afin de convaincre les annonceurs de l'avantage de recourir à toute la gamme. Pour y parvenir, Lintas-Amérique a, par exemple, entamé le recyclage de ses cent plus hauts responsables à travers un programme baptisé ni plus ni moins « Lintas University ». Pendant vingt-cinq jours consécutifs, ses cadres parcourent tous les créneaux de services de façon à apprendre à remédier à la cacophonie face aux clients.

En 1988, le taux de croissance des revenus publicitaires classiques des dix premiers groupes mondiaux a été de 18 % tandis que celui des autres activités a dépassé les 100 %. J. Walter Thompson, leader mondial des relations publiques et spécialisé dans la recherche et le design notamment, retire déjà de ces secteurs près de la moitié de son chiffre d'affaires, tandis que Ogilvy, première firme mondiale en marketing direct et également présente dans la recherche et les relations publiques, en perçoit 38 %.

Qu'en est-il de la synergie réseaux publicitaires-groupes multimédias ? Elle ne se donne réellement et sous des formes complexes que dans le cas du japonais Dentsu et du français Eurocom-Havas, dont les histoires sont inséparables de la genèse du système de communication de masse sur leur territoire national. Néanmoins, l'intérêt manifesté par l'entrepreneur italien de la télévision, M. Berlusconi, pour le réseau Saatchi en difficulté indique que les nouveaux groupes multimédias peuvent aussi caresser le projet d'avoir un pied dans l'industrie publicitaire.

Les maillons faibles

Les densités des réseaux publicitaires à travers le monde sont extrêmement variées. Elles reflètent tout à la fois les stratégies particulières à chaque réseau et le degré de maturité de chaque marché national de la publicité. Fortement implantés dans les deux Amériques et en Europe, les mailles du réseau des réseaux publicitaires sont inexistantes ou distendues dans d'autres régions du monde.

TABLEAU V. — L'EUROPE DES RÉSEAUX (1988)

Rang	*Réseaux*	*Marge brute Europe*	*C.A. Europe*	*% C.A. Europe sur total mondial*
		(en millions de dollars)		
1.	Publicis-FCB (F-EU)	327	2 234	51,3
2.	Saatchi & Saatchi Worldwide (GB)*	289	2 093	41,6
3.	Young & Rubicam (EU)	268	1 784	34,0
4.	Mc Cann-Erickson Worldwide (EU)*	264	1 762	40,2
5.	Backer Spielvogel Bates (GB)	263	1 664	35,6
6.	Ogilvy & Mather (EU)*	249	1 565	38,1
7.	Lintas : Worldwide (EU)*	214	1 430	39,9
8.	J. Walter Thompson (GB)*	195	1 438	37,3
9.	HDM (Havas-Dentsu-Marsteller) (F-Jap.-EU)	186	1 266	65,3
10.	D'Arcy Masius Benton & Bowles (EU)	170	1 232	36,7

* Les réseaux 2 et 5 sont sous contrôle du groupe britannique Saatchi. Les réseaux 6 (depuis 1989) et 8 sont sous contrôle du groupe britannique WPP. Les réseaux 4 et 7 sont sous contrôle du groupe américain Interpublic.

Source : Advertising Age, 12 juin 1989.

Si les années quatre-vingt ont été situées principalement sous le signe de la restructuration des réseaux sur le territoire européen en prévision du Marché unique de plus de 320 millions de consommateurs, d'autres régions ont vu s'intensifier la pression des grandes agences. Cela est plus particulièrement vrai pour l'Afrique subsaharienne, l'Asie et certains pays à régime socialiste.

L'Afrique subsaharienne est restée relativement en marge des circuits de l'économie transnationale. Fait symbolique, près de cinquante ans après son installation au Brésil, Mc Can-Erickson a fondé en 1989 ses premières filiales au Cameroun et en Côte-d'Ivoire — qui à elle seule représente plus du tiers du marché publicitaire de la région francophone — pour suivre le plus prestigieux de ses clients transnationaux : Coca-Cola. Le réseau américain a rejoint là-bas les deux rares réseaux à avoir une tradition sur ces terres : le réseau RSCG (Roux, Séguela, Cayzac et Goudard) qui a préféré lâcher progressivement le contrôle direct de filiales pour adopter les accords, moins coûteux, de partenariat et de franchise et le réseau Lintas, géré pour cette région depuis Paris. De par sa trajectoire historique liée au sort de Lever Bros., Lintas dispose, en outre, de nombreuses filiales dans l'Afrique noire anglophone.

L'offensive asiatique a surtout pris comme cible deux des « dragons » ou « nouveaux pays industriels » : la Corée du Sud, le plus gros marché de la région après le Japon, et Taïwan. Deux pays qui, à la différence d'un autre « dragon », Hongkong, littéralement occupé par les réseaux américains et britanniques, ont longtemps résisté à frayer avec les agences étrangères. Jusqu'au jour — comme cela s'est passé à Séoul en 1989 — où la pression conjointe du gouvernement de Washington et des sociétés transnationales a fait lever les interdictions.

Première percée enfin à l'Est dans la seconde moitié des années quatre-vingt. Plus particulièrement en Hongrie où Mc Cann-Erickson a créé une filiale où elle détient la majorité tandis que Publicis signait un vaste accord de coopération avec un groupe local dans les secteurs régie de presse, de production audiovisuelle et d'impression. En Union soviétique, Young & Rubicam et Ogilvy & Mather ont débarqué à Moscou tandis que M. Berlusconi emportait la régie de la publicité étrangère de la télévision et les frères Saatchi & Saatchi étaient nommés conseillers en publicité et marketing de Gosteleradio qui préside aux destinées de l'audiovisuel soviétique. Fin 1989, M. Berlusconi a décroché en Pologne un contrat semblable à celui de Moscou. Avec, en prime, la possibilité de fournir la télévision en programmes.

La Chine avait pris les devants dans les années soixante-dix lorsque débarqua l'alliance nippo-américaine Mc Cann-Erickson-Hakuhodo. En 1988, les Japonais étaient les premiers annonceurs sur les chaînes chinoises. Cette année-là, l'agence trilatérale HDM s'est établie à Pékin. En 1989, après le massacre de la place Tien Am Men, plusieurs réseaux dont Saatchi & Saatchi et J. Walter Thompson ont décidé de différer leur implantation (déjà décidée) et les principaux annonceurs ont annulé leurs campagnes.

3. Le monde : un ou multiple ?

La logique lourde

La tentation est forte lorsque l'on contrôle un réseau de réseaux de plus de 150 filiales ou antennes et que le soleil ne se couche jamais sur cet empire de voir et de penser le monde comme un marché unique. C'est cette idée qu'ont mise en forme les tenants de la doctrine de la globalisation des marchés et des campagnes de vente. Elle a été lancée en 1983 par Theodor Levitt, professeur à la Business School de l'université d'Harvard, et amplement divulguée par Saatchi & Saatchi qui en a fait le discours d'accompagnement obligé de sa stratégie de construction du macro-groupe publicitaire du futur [5].

Grosso modo, les disciples de la doctrine disent ceci : la clé du succès pour l'exploitation des marchés internationaux se trouve dans le lancement de produits et de marques globaux, c'est-à-dire dans le marketing de produits et marques standardisés à travers le monde entier. Ce qui, également à gros traits, revient à extrapoler et généraliser pour l'ensemble des firmes et des marchés l'expérience, souvent très ancienne, des champions transfrontières que sont Coca-Cola, Marlboro, Mc Donald's, Esso, Rolex, etc., qui recourent aux mêmes axes-marketing, aux mêmes thèmes, aux mêmes slogans et *jingles* à travers une multitude de pays.

A l'encontre de cette vision globaliste, on oppose facilement qu'un marché, pour unique qu'il veuille être, est aussi la mosaïque de ses différences parce qu'il est le produit des histoires particulières des économies et des cultures. Poids différent des divers médias, diversité des langues, disparité des niveaux de vie, réglementations différentes sur l'usage de l'espace publicitaire, mais aussi et surtout goûts, motivations et valeurs propres.

Affectives ou rationnelles, dramatiques ou légères, réalistes ou elliptiques, chaque nation choisit les manières de convaincre qui lui sont propres. Et cela, même si les théoriciens des campagnes globales comme T. Levitt partent du postulat que « tous les peuples du monde ont les mêmes goûts et désirs et qu'ils sont remarquablement semblables en ce qui regarde l'amour, la haine, la peur, la cupidité, la joie, le patriotisme, la pornographie, le confort matériel, le mysticisme et le rôle de la nourriture dans leurs vies ».

Cette vision outrancière est critiquée de l'intérieur même des milieux du marketing et de la publicité [6], [7]. Ses adversaires ne nient pas la réalité de la logique lourde de la globalisation, mais ils insistent sur l'existence d'autres logiques qui mènent à l'éclatement du marché mondial : la « démassification généralisée » de la consommation et l'éclosion de micro-marchés, tout aussi palpables que l'internationalisation simultanée des macro-marchés de produits de grande consommation. Les logiques d'éclatement exigent donc une approche plus nuancée qui tienne compte de la différenciation des goûts des consommateurs. Tout au moins dans le cadre des grandes sociétés industrielles.

C'est ici qu'apparaît un autre concept forgé par un employé japonais du cabinet de conseil américain Mc Kinsey en 1984, Kenichi Ohmae : *Le Pouvoir triadien* [8]. La triade étant cette entité à trois têtes constituée par l'Europe, l'Amérique du Nord et l'Asie du Japon et des quatre « dragons ». Bref, les trois pôles d'une économie mondiale remodelée, encore hier sous la coupe d'un acteur unique : les États-Unis. Économie et monde tripolaire où se concentre 80 % des dépenses des individus. Idée centrale : ne pas se limiter au seul « grand marché européen de 1993 », mais l'intégrer dans la perspective du nouveau pouvoir de la triade. Pour l'auteur de *Triad Power*, une entreprise qui se targue d'être mondiale doit être présente sur ces trois marchés. C'est même une condition de sa survie. Le réseau publicitaire ayant la lourde mission de traquer ressemblances et différences et d'assurer le lien qui unit les diverses catégories de consommateurs de cette triade. La seule réponse possible à la demande de produits différenciés : tenir compte des « styles de vie » de la multitude des groupes ou segments qui composent le nouveau triangle d'or du marketing transnational (voir chapitre III, 2).

Si la globalisation produit du discours mondialiste à l'excès, elle n'en révèle pas moins à sa façon une réalité bien présente dans les têtes et sur les marchés. Car l'intégration des marchés et des campagnes publicitaires, c'est aussi la puissante pulsion qui pousse l'entreprise publicitaire à se réorganiser en fonction de l'économie-monde.

De plus en plus de réseaux répondent à cette exigence en redéployant leurs antennes locales en vue d'offrir à leurs clients des services centralisés et coordonnés sur le plan international. Ils favorisent aussi l'échange d'idées et le transfert d'expériences d'un marché à un autre, d'une filiale à une autre. Les réunions systématiques entre membres d'un même réseau sont devenues routine. Valse de cadres, de responsables de macro-régions, tous les réseaux restructurent — et parfois transfèrent — leur quartier général international. A l'ordre du jour : la nécessité de gérer des budgets transnationaux avec des professionnels qui maîtrisent l'interculturel, opérant *cross-culturally* et *multi-lingually*. Même si on est loin de la « novo-langue » du globalisme, l'impératif du « transfrontières » se manifeste quoditiennement dans les faits.

Le modèle de développement en question

Les théoriciens de la globalisation et du pouvoir triadien disent tout haut ce que bien des stratèges et géopoliticiens pensent tout bas : l'économie mondiale est une réalité à deux vitesses. Dans les plans que tracent les « mega-marketers » sur la planète, les trois quarts de l'humanité n'ont accès à leur problématique que dans la mesure où, un jour ou l'autre, ils sont appelés à participer du mode de vie et de développement du triangle d'or. Un jour qui pour la grande majorité se fait chaque fois plus lointain.

En 1973, une journaliste d'*Advertising Age*, au terme d'un reportage sur les agences publicitaires au Brésil, commençait son article en affirmant tout de go : « Les ventes de cigarettes, d'automobiles, de détergents et de produits de beauté peuvent être considérées comme les baromètres du développement économique d'un pays. »

Le problème est que, pendant les années qui ont suivi, les Brésiliens sont devenus de plus en plus pauvres et qu'ils s'en sont rendu compte. Pendant cette période aussi, de plus en plus de peuples, voire d'États, de plus en plus de spécialistes en provenance des disciplines les plus variées ont mis en question cette vision linéaire du développement, ce schéma d'évolution économique unique et mécaniste d'un monde soumis aux lois inexorables d'une histoire mue par une idée du progrès inspirée du modèle de croissance des grands pays industriels. Ce qui est aberrant dans les discours sur la globalisation, c'est que tout cela disparaît comme par enchantement. Tout advient comme si rien ne s'était passé, ni la crise de ce modèle de développement ni la rébellion de l'autre.

Envolées en fumée les prises de conscience contradictoires de la nécessité d'une pluralité de marketing-management par d'autres experts de la branche [9]. Alors que, au cœur même des grands pays occidentaux, les spécialistes du marché s'affrontent de plus en plus à la pluriculturalité et la pluriethnicité et fondent des agences pour s'approcher des minorités asiatiques en Grande-Bretagne et des hispanophones aux États-Unis. Même si dans d'autres réalités comme la France d'outre-mer, nombre de campagnes de la métropole continuent à s'exporter purement et simplement.

Des actions volontaristes

Et pourtant. Au cours des années soixante-dix, de nombreuses pressions ont été exercées de toutes parts pour changer les visions univoques. Le point d'orgue en fut le débat sur les stratégies de matraquage publicitaire utilisées par Nestlé pour convaincre les mères africaines de remplacer le lait maternel par le lait en poudre sans guère se soucier du contexte culturel et du dénuement dans lesquels atterrissaient ces produits de la modernité agro-alimentaire. Ces polémiques débouchèrent sur la promulgation de « codes de conduite », votés à l'unanimité (moins une voix, celle des États-Unis) dans le cadre de l'Organisation mondiale de la santé (OMS) et de l'UNICEF, l'organisme spécialisé des Nations unies pour l'enfance. S'ils sont encore loin d'être appliqués par les grandes sociétés de l'agro-alimentaire, ces codes de déontologie constituent néanmoins des références incontournables pour jauger sur pièce le rapport publicité-développement. Pour la première fois, fut posée et débattue dans les organismes représentatifs des États-nations la dimension internationale des stratégies publicitaires dans le contexte des rapports de forces entre le Nord et le Sud. Premier moment d'une interrogation critique sur la prétendue universalité d'un modèle de développement et de croissance. Celui-là même que, à partir d'autres lieux, d'autres tribunes et d'autres mouvements, commençaient à dénoncer ceux qui s'inquiétaient de la survie de la planète menacée par ce modèle d'hyperconsommation de biens et de ressources [10].

Au cours de ces années-là, dans chaque réalité particulière, des mesures furent prises par les gouvernements pour enrayer ce que l'on dénomma les « effets négatifs » du modèle publicitaire transnational. Et cela indépendamment de la couleur religieuse ou politique des autorités en place. L'Indonésie qui n'était pourtant pas un exemple de vertu démocratique alla jusqu'à bannir les spots du petit écran parce qu'« ils faussaient les expectatives des pauvres, qui sont tout juste capables de survivre ». Nombre de pays — depuis le Pérou des généraux réformistes jusqu'aux Philippines de la dictature Marcos — édictèrent des lois en vue de stopper l'afflux de spots conçus à l'étranger. La Malaisie exigea que 80 % des spots transmis sur ses chaînes soient fabriqués sur place. D'autres — comme l'Inde et le Nigéria — interdirent aux réseaux internationaux d'installer des filiales à part entière.

Les années quatre-vingt ont vu l'État tuteur se retirer progressivement du jeu. Deux symboles : l'Indonésie qui a lâché du lest et la Corée du Sud qui s'est ouverte aux réseaux étrangers. Les politiques néo-libérales qui président au remodèlement des économies locales et des paysages audiovisuels ont remplacé les politiques volontaristes de l'État-providence... et parfois — il faut le dire — de l'État-censeur et de l'ordre moral.

Des interventions des pouvoirs publics au cours des années soixante-dix, on peut tirer deux leçons : l'extrême capacité des acteurs du processus publicitaire à dévier les coups et à construire des stratégies de lobbying nationales et internationales pour y réussir ; le caractère artificiel et vain des mesures gouvernementales si elles ne sont pas accompagnées d'une réelle conscience citoyenne sur l'enjeu de société, qui relaie — mais aussi les approfondit et les dépasse — les politiques officielles à travers le réseau pluriel des organisations de la société civile. Leçon apprise la décennie suivante par nombre de mouvements sociaux qui ne comptent désormais que sur leurs propres forces tout en utilisant les réseaux administratifs comme levier de leur action. Actions dont le but est d'infléchir des modèles de consommation — qui sont évidemment aussi des modèles de production — qui laissent en marge des bénéfices matériels de la société de la modernité marchande une majorité de gens tout en les intégrant à son univers symbolique.

II / Les marchés

1. La critique des sources

Une comptabilité pas claire

La haute visibilité de l'industrie publicitaire contraste avec le manque de transparence de ses comptes. Et, pourtant, ceux-ci sont des éléments de base pour évaluer le marché.

En 1989, comme toutes les années depuis la décennie précédente, les revues spécialisées françaises ont offert à leurs lecteurs des classements des agences de publicité. Exercice périlleux s'il en est. Aucune n'est tombée d'accord sur le palmarès des cinq premières et toutes ont aligné des chiffres d'affaires différents. Les informations fournies par les agences elles-mêmes varient tant d'une revue à l'autre que chacune d'elles les a accompagnées de ses propres estimations. Raison : les publicitaires ne se sont jamais concertés pour dire ce qu'ils entendent par « groupe », « enseigne » ou « agence », ni non plus pour choisir des règles communes et publiques de comptabilité et de consolidation et faire vérifier systématiquement leurs comptes par un audit.

Cette situation n'est d'ailleurs pas propre à la France. Elle se répète, année après année, dans bon nombre de pays. Comment s'en étonner outre mesure lorsque l'on apprend que la plus vieille industrie publicitaire du monde n'a décidé d'assainir ses classements qu'en 1984 ? Depuis lors le magazine *Advertising Age*, la bible des publicitaires américains depuis 1930, conseille aux agences qui opèrent aux États-Unis de faire vérifier leurs comptes par un comptable indépendant avant de les faire parvenir à l'équipe de recherches de la revue chargée d'effectuer les classements [11].

Les incompatibilités

C'est à partir des pressions de l'international que les incohérences et les carences des appareils statistiques nationaux de l'industrie publicitaire ont peu à peu affleuré comme une question importante pour l'ensemble de la profession. Plus particulièrement en Europe où les promesses du Marché unique ont mis à l'ordre du jour l'harmonisation des données, condition élémentaire pour mettre sur pied des analyses et des stratégies paneuropéennes [12].

Les difficultés pour rendre comparables les données sur les dépenses publicitaires des divers pays européens sont de plusieurs ordres :

• *Le maître d'œuvre.* Certains pays disposent d'organismes de recherche qui sont l'émanation directe ou indirecte de l'interprofession publicitaire. C'est notamment le cas de la France avec l'IREP (Institut de recherches et d'études publicitaires) [13] et de la Grande-Bretagne avec l'Association de la publicité (Advertising Association). D'autres laissent la collecte et l'élaboration des informations aux soins d'une firme de recherches. C'est le cas de l'Espagne où les données qui font autorité proviennent de J. Walter Thompson et de Repress/Nielsen ; de la Finlande qui dépend de Gallup alliée à une société locale ; de l'Autriche qui, elle aussi, s'en remet à Nielsen ; du Portugal qui dépend de Lintas. Mais il y a aussi des cas atypiques. Tels ceux de la Suède où les informations les plus fiables proviennent de l'École d'économie de l'université de Göteborg et de l'Autriche qui a confié ses statistiques sur la publicité-cinéma à l'université autrichienne d'économie.

• *Couverture.* Beaucoup de pays se contentent de mesurer les dépenses publicitaires en se limitant à celles effectuées dans les grands médias alors que d'autres ont déjà entrepris de couvrir également le « hors-médias ». Tous, par ailleurs, ne comptabilisent pas les petites annonces, les gratuits. Ainsi sont-ils omis en Italie et en France et inclus en Espagne.

• *Méthodes.* Certains pays procèdent par enquête exhaustive auprès des trois composantes de l'interprofession. Comme le font la France, la Grande-Bretagne et la République fédérale d'Allemagne. En revanche, d'autres préfèrent produire leurs statistiques en relevant les espaces publicitaires achetés et en les multipliant par les tarifs déclarés. L'inconvénient de cette dernière méthode est que le tarif déclaré ne tient pas compte des rabais qui sont parfois très élevés.

• *Calcul.* Certains excluent alors que d'autres incluent. Ainsi les statistiques espagnoles et italiennes incluent-elles dans le chiffre de dépenses la commission de l'agence et excluent-elles les coûts de production de l'annonce. Les allemandes omettent les deux tandis que les britanniques et les françaises les incorporent. Enfin, certains tiennent compte des ristournes et d'autres pas.

• *Rabais.* Ils sont, de toute façon, le véritable virus qui grippe nombre de machines comptables nationales. Le cas italien est le plus frappant. A la dérégulation sauvage a correspondu une pratique sauvage de la ristourne. Tellement sauvage que la régie des réseaux privés de M. Berlusconi estimait en 1988 que les tarifs réels étaient inférieurs de 70 % aux tarifs affichés.

• *Confidentialité.* Partout, et parfois plus fortement dans certains pays ou pour certains médias ou certains annonceurs, plus l'enquêteur tente d'entrer dans les détails et d'affiner la grille d'analyse, plus il risque de se voir opposer une fin de non-recevoir. Secret commercial oblige. C'est d'ailleurs ce qui rend si difficile la construction d'une véritable économie de la publicité (voir chapitre VI).

• *La monnaie-étalon.* Les variations massives du dollar depuis 1979 ont fait perdre à la devise américaine son caractère de référence. Il a donc fallu recourir à une autre méthode : celle des « parités du pouvoir d'achat ». Ces « parités » représentent les unités en devises nationales qui sont nécessaires pour acquérir un même « panier » de biens et de services dans chaque pays.

Au terme de ce parcours du combattant, après avoir appliqué force coefficients pour redresser le chiffre, le chercheur peut espérer s'approcher du but, mais il doit se dire que les informations revues et corrigées sont sûrement encore susceptibles d'être grandement améliorées à l'avenir.

A cette tâche s'emploient depuis 1982 l'Association de la publicité britannique (Advertising Association) et la Tripartite européenne (European Advertising Tripartite) qui réunit annonceurs, agences et supports du vieux monde (voir chapitre V, 2). Les spécialistes londoniens sont arrivés à la conclusion qu'une fois appliqués les correctifs aux statistiques brutes de certains pays, le volume des dépenses publicitaires augmentait dans une proportion pouvant atteindre les 44 %. L'inverse étant vrai pour d'autres. L'entreprise, menée fondamentalement par l'Association britannique, vise surtout à rendre compatibles les informations relatives au marché publicitaire de la triade : Europe-États-Unis-Japon. La publication des dépenses publicitaires européennes par AA-EAT comprend inmanquablement un panorama sur la situation dans les deux autres pôles de l'économie mondiale.

On soupçonne les difficultés que doivent affronter ceux qui désirent approfondir la comparaison avec ce qui se passe sous d'autres latitudes. Seuls le permettent les classements réalisés pour une soixantaine de pays par la firme américaine Starch-INRA-Hooper en collaboration, depuis 1970, avec l'International Advertising Association (IAA). Même si cette source unique est loin d'avoir résolu tous les écueils de méthodes, de définitions et de pratiques propres à chaque pays. Comme en témoigne la révision critique, opérée par la firme, de ses sources d'information et de ses modes de calcul lors de la 21e édition de son rapport parue en 1988. Parmi les absents de ce classement, nombre de pays africains [14].

L'enjeu du chiffre

L'information statistique sur le marché publicitaire est trop impliquée dans les stratégies de construction des nouveaux paysages audiovisuels pour laisser croire un instant qu'elle n'est qu'un problème technique. La guerre des études et des estimations sur l'élasticité des dépenses est une pièce essentielle dans la légitimation de ces stratégies. On en a eu la preuve la plus flagrante lors des débats sur la dérégulation du système télévisuel de la Belgique francophone en 1987-1989.

En 1987, le Conseil des ministres donne le feu vert au projet de création d'une télévision commerciale qui se nommera TVi et sera une émanation de la chaîne luxembourgeoise RTL. Ce projet met fin à quinze ans d'illégalité : pendant cette période, RTL installée dans le grand-duché a pompé les ressources publicitaires du marché francophone. Interdite d'antenne sur le service public, la publicité est arrivée à flots par la bande grâce aux autoroutes de la télévision par câble sans que le gouvernement se décide à sanctionner cette contrebande de programmes et de spots. Avec la concession d'une chaîne privée, RTL reçoit en prime l'exclusivité de la publicité commerciale pour neuf ans. Mais entre-temps les socialistes reviennent au pouvoir. Inattaquable d'un point de vue juridique, le nouveau statut de l'audiovisuel est contesté en prenant à témoin le marché. La RTBF et son responsable socialiste commandent une étude à une société de recherches privée. Sa conclusion : il y a de la place pour deux et le service public peut avoir sa part de la manne publicitaire. Contre-expertise de la régie de RTL. Au bout de longues et tempétueuses discussions, les deux parties se mettent d'accord sur le volume probable du marché publicitaire dans les deux prochaines années. Coup de théâtre en mars 1989 : un accord historique est signé entre les deux frères ennemis. Le service public a accès à la publicité commerciale à concurrence du quart de ses ressources. A la base de ce revirement spectaculaire : la crainte partagée de voir un troisième larron, TF1, ponctionner le marché francophone en installant en Belgique une régie et en préparant des spots pour les audiences locales ! Ce que fera effectivement TF1 à la fin de 1989.

Autre situation — sans doute plus polémique — qui oblige elle aussi à secouer la conception technicienne de l'information statistique, celle que révèle l'essor des pratiques à la limite de la légalité en France. En 1987, l'Association des agences conseils en communication a saisi le Conseil de la concurrence. Objet de la plainte : les répercussions sur l'organisation du marché publicitaire du cumul, par certains groupes, des fonctions d'agence, de régie et de support, mais aussi du pouvoir grandissant des centrales d'achat d'espace. Les sages ont rendu leur verdict : ils ont dénoncé l'opacité des tarifs et le manque de transparence des négociations ; ils ont diagnostiqué un défaut d'information tarifaire et de « facturation fidèle ». Cet important travail de clarification qui jetait une lumière crue sur des pratiques susceptibles de se traduire en pressions contre les médias — victimes d'« abus d'exploitation d'une situation de dépendance » — n'a été suivi d'aucune mesure [15].

2. Qui dépense combien sur quel support ?

Un marché concentré

En 1988, il s'est dépensé dans le monde près de 200 milliards de dollars en publicité. Les estimations pour 1990 tournent autour de 265 milliards. Ce volume couvre aussi bien ce qui s'est déversé dans les grands médias que les activités dites « hors médias ». Près de la moitié de ces sommes se sont dépensées aux États-Unis et au Canada (réunis dans le classement sous le générique « Amérique du Nord »), 28 % en Europe, 20 % environ au Japon et dans la région Asie-Pacifique, 1,5 % à 2 % en Amérique latine et le reste, qui n'atteint pas 1 %, en Afrique et au Moyen-Orient. C'est dire l'extrême concentration des dépenses publicitaires dans le monde.

En 1970, les États-Unis représentaient 62 % des dépenses mondiales de publicité contre 75 % en 1950. Entre 1970 et 1990, la redistribution s'est effectuée principalement en faveur du Japon et, un peu moins, de l'Europe. La part européenne se situait en 1970 autour de 24 % et celle de l'ensemble Asie-Pacifique n'atteignait même pas 10 %. En vingt ans à peine, la contribution de l'empire du Soleil levant au budget publicitaire mondial est passée à plus de 15 %.

Les premiers marchés nationaux sont dans l'ordre : les États-Unis, le Japon, la Grande-Bretagne, l'Allemagne fédérale, le Canada, la France, l'Italie, l'Espagne, l'Australie et le Brésil. Ce dernier pays est longtemps resté à la sixième ou septième place, il n'en a été délogé que dans les années quatre-vingt par l'Italie et l'Espagne, deux marchés en plein essor. Parmi les dix suivants : la plupart des pays européens, la Corée du Sud, l'Argentine, l'Inde et Taïwan. Mais le marché publicitaire du géant indien est inférieur à celui de la Belgique.

TABLEAU VI. — LES DÉPENSES PUBLICITAIRES (GRANDS MÉDIAS) PAR HABITANT EUROPE/ÉTATS-UNIS/JAPON (1980-1987)

Pays	*Dépenses par tête en dollars**		*% PIB*	
	1987	*1980*	*1987*	*1980*
États-Unis	288	156	1,58	1,36
Finlande	183	87	1,42	1,09
Royaume-Uni	175	87	1,43	1,11
Suisse	171	110	1,13	1,08
Norvège	142	72	1,13	0,96
Pays-Bas	136	87	1,10	1,01
Suède	107	58	0,81	0,67
RFA	105	66	0,93	0,88
Espagne	100	32	1,35	0,64
Japon	99	57	0,76	0,74
Danemark	95	65	0,89	0,95
France	86	41	0,68	0,49
Belgique	76	38	0,65	0,48
Italie	67	25	0,64	0,43
Autriche	64	37	0,64	0,55
Irlande	46	33	0,73	0,78
Grèce	30	11	0,55	0,30
Portugal	27	8	0,47	0,22

* A prix constants et parités de pouvoir d'achat constantes.

Source : AA-EAT, *The European Advertising & Media Forecast — International Advertising Expenditure Trends & Forecasts to 1992,* Londres, vol. 3, n° 3, décembre 1988.

Pour mesurer le poids des dépenses publicitaires dans un pays, on recourt généralement à l'indice constitué par le pourcentage qu'elles représentent dans le produit intérieur brut (PIB). Comme, en général, pour les raisons que l'on sait, il est difficile de le calculer en prenant en compte le « hors-médias », on l'évalue à partir uniquement de ce qui se dépense dans les médias. Les États-Unis viennent, évidemment, en tête avec 1,58 %, mais ils sont suivis de près par la Grande-Bretagne (1,43 %), la Finlande (1,42 %) et l'Espagne (1,35 %). L'indice du Japon n'atteint même pas la moitié de celui des États-Unis et celui de la France se situe autour

Tableau VII. — Les dépenses publicitaires (grands médias) dans une sélection de pays (1986)

Pays	*Par tête**	*% PIB*	*Pays*	*Par tête**	*% PIB*
Afrique du Sud	10	0,67	Israël	74	1,10
Argentine	29	1,18	Mexique	5	0,32
Australie	151	1,58	Maroc	0,6	0,10
Bolivie	7	1,12	Pakistan	0,9	0,25
Brésil	14	0,69	Pérou	10	0,84
Canada	187	1,41	Singapour	51	0,74
Chili	12	0,94	Taïwan	27	0,88
Colombie	11	1,00	Thaïlande	4	0,51
Corée du Sud	47	0,98	Turquie	3	0,31
Costa-Rica	18	1,28	Vénézuela	14	1,27
Hongkong	51	0,74	Zimbabwe	2	0,35
Inde	0,8	0,30			

* Dépenses par tête en dollars.

Source : Starch-INRA-Hooper/IAA, *World Advertising Expenditures,* 21e édition, 1988.

de 0,68 %. En clair, tout cela veut dire que lorsque les Britanniques dépensent 100 dollars *per capita* en publicité dans les médias, il s'en débourse 183 aux États-Unis, 156 en Finlande, 91 au Japon et 66 en France.

L'indice PIB élevé que l'on observe dans certains pays dudit tiers monde témoigne du poids excessif des dépenses publicitaires par rapport au niveau de vie de la grande majorité de leurs habitants. Exemple : le Vénézuela qui dépasse largement la Suisse. Il faudrait donc revoir à la baisse l'assertion selon laquelle cet indicateur est nécessairement un bon repère pour évaluer la santé économique d'un pays. De même, il faudrait réviser ce slogan selon lequel à dépenses publicitaires élevées, plus grande démocratie. Inventé par les publicitaires américains, à la chaleur de la guerre froide, qui avaient à l'esprit les pays d'au-delà du rideau de fer, ce postulat — servi encore de nos jours aux critiques de la publicité dans les démocraties libérales — a été superbement démenti par la forte croissance des budgets publicitaires dans le Brésil des années de plomb (1964-1978).

TABLEAU VIII. — BRÉSIL :
LES ANNÉES DU VIRAGE TÉLÉVISUEL
(1970-1982)

Année	*% PIB*	*Volume des dépenses en millions**	*Répartition dépenses pub. (%)*						*Ind. tarifs/ Ind. prix***
			Presse		*TV*	*Radio*	*Ciné*	*Aff.*	
			Quot.	*Mag.*					
1970	0,66	1 160	21,0	21,9	39,6	13,2	0,5	3,8	100
1973	1,00	2 380	20,9	15,6	46,6	10,4	1,4	5,1	119
1976	1,00	3 070	21,1	13,7	51,9	9,8	0,6	2,9	407
1979	0,95	3 830	20,1	13,0	56,4	8,5	0,5	1,5	1 409
1982	1,16	4 840	14,7	12,9	61,2	8,0	0,9	2,3	11 549

* Le volume des dépenses publicitaires est exprimé en cruzeiros — la monnaie nationale de cette période — constants. Il inclut la commission et les frais de production.
** Indice Tarifs média/Indices des prix au consommateur.

Source : Association brésilienne des agences de publicité ; J. Walter Thompson Publicidade Ltda, São Paulo.

Le paramètre télévision

Dans quels médias s'investit cet argent ? Pour tenter d'y voir clair dans le maquis des informations, prenons comme fil d'Ariane les recettes que recueille la télévision dans divers pays.

• *Les pays où la télévision étouffe littéralement le paysage publicitaire.* Tous sont situés en Amérique latine dans des pays à longue tradition commerciale. En tête, le Pérou et le Costa-Rica, suivi du Vénézuela. Moins écrasante mais largement hégémonique, la télévision l'est au Brésil, en Colombie et au Mexique. Dans ce groupe, figurent les trois puissances exportatrices de programmes télévisuels : le Mexique, le Brésil et le Vénézuela, nouveaux acteurs sur les marchés internationaux depuis les années quatre-vingt. Dans ce groupe où le petit écran capte plus de la moitié des ressources publicitaires, quelques cas échappent à la règle géographique : le Maroc, le Portugal, l'Italie et Hongkong. Notons que pour le Maroc tout autant que pour beaucoup des pays latino-américains, l'audiovisuel domine d'autant plus largement la scène publicitaire que c'est là que se trouvent les taux les plus élevés de publicité radio.

• *Aux antipodes, les pays où la publicité est interdite d'antenne à la télévision comme à la radio et où la presse draine la majorité des dépenses.* C'est notamment le cas en Europe de la Suède et de la Norvège.

TABLEAU IX. — LA RÉPARTITION DES DÉPENSES PUBLICITAIRES (GRANDS MÉDIAS) — EUROPE/ÉTATS-UNIS/ JAPON (1980-1987)

Pays	*1987**				*1980*			
	TV %	*Presse* %	*Radio* %	*Aff.* %	*TV* %	*Presse* %	*Radio* %	*Aff.* %
Portugal	*53,6*	29,9	8,6	7,9	43,8	28,6	24,3	3,0
Italie	*50,9*	39,8	3,7	5,3	25,9	58,7	6,8	6,8
Grèce	*48,3*	39,3	5,5	6,3	49,6	44,0	6,4	—
Japon	*45,3*	48,0	6,7	—	45,3	48,0	6,7	—
Irlande	*37,1*	41,9	11,3	9,7	29,0	56,5	9,7	4,8
États-Unis	*34,1*	53,7	10,3	1,9	32,4	55,6	10,4	1,6
Royaume-Uni	*32,4*	61,6	1,9	3,7	27,1	65,9	2,1	4,2
Espagne	*30,9*	51,5	12,1	5,0	33,7	46,4	12,0	6,2
Autriche	*29,3*	50,3	13,1	6,6	30,3	49,5	12,1	7,1
France	*22,0*	57,4	7,4	12,1	14,3	60,0	10,3	14,0
Belgique	*14,0*	68,1	1,0	15,2	8,2	75,1	0,3	14,6
Finlande	*11,7*	85,1	1,3	1,9	12,1	85,4	0,0	2,0
Pays-Bas	*11,1*	76,5	1,7	10,4	6,8	84,7	1,0	6,9
RFA	*10,2*	81,4	3,9	3,4	10,1	81,6	3,6	3,8
Suisse	*6,5*	80,2	1,6	10,8	8,0	85,0	0,0	6,0
Danemark	*0,2*	95,1	0,0	3,6	0,0	96,4	0,0	2,3
Norvège	*0,0*	96,8	0,0	2,1	0,0	97,6	0,0	1,4
Suède	*0,0*	95,7	0,0	3,7	0,0	95,7	0,0	3,7

* Le reliquat revient aux dépenses publicitaires cinéma qui, en Europe, fluctuent autour d'une moyenne de 0,7 % en 1987 (contre 1 % en 1980).

Source : AA-EAT, *The European Advertising & Media Forecast — International Advertising Expenditure Trends & Forecasts to 1992*, Londres, vol. 3, n° 3, décembre 1988.

• *Les pays où la télévision occupe encore un strapontin.* On y trouve surtout des pays à régime télévisuel public fortement réglementé — tout au moins pour certains, jusqu'à il y a peu — comme la Finlande, les Pays-Bas, l'Allemagne fédérale, la Suisse, la Belgique, le Danemark, mais aussi la Bolivie. Cas insolite que celui de ce pays latino-américain dont la télévision était de service public jusqu'en 1986 et qui réunit deux autres records mondiaux : l'affichage y capte près

TABLEAU X. — LA RÉPARTITION DES DÉPENSES PUBLICITAIRES (GRANDS MÉDIAS) DANS QUELQUES PAYS (1986)

Pays	*Répartition par média (%)*					*Nbre postes TV pour 1 000 personnes*
	TV	*Presse*	*Radio*	*Affichage*	*Cinéma*	
Pérou	*88,0*	4,6	7,5	—	—	*58*
Costa-Rica	*77,6*	3,6	18,6	—	—	*110*
Vénézuela	*64,5*	27,4	5,1	3,0	—	*107*
Turquie	*58,6*	33,2	2,6	5,7	—	*164*
Brésil	*56,4*	33,6	7,7	2,1	0,1	*179*
Maroc	*56,0*	18,2	16,7	8,6	0,5	*122*
Colombie	*54,0*	23,5	22,4	—	—	*134*
Mexique	*51,7*	17,0	20,8	9,5	0,9	*115*
Hongkong	*50,5*	43,4	1,6	4,2	0,4	*311*
Thaïlande	*48,6*	31,6	19,5	—	0,2	*74*
Chili	*44,4*	40,9	10,8	3,3	1,0	*216*
Corée du Sud	*41,8*	47,3	6,3	4,7	0,6	*477*
Taïwan	*39,1*	51,8	7,0	1,1	1,0	*205*
Pakistan	*38,8*	50,0	6,2	5,0	0,5	*14*
Argentine	*36,8*	38,2	12,1	9,9	3,0	*213*
Singapour	*35,1*	56,2	3,9	4,2	0,5	*255*
Australie	*34,2*	48,0	8,9	7,3	1,5	*290*
Afrique du Sud	*31,8*	65,5	—	3,4	1,4	*48*
Canada	*24,0*	52,3	13,2	10,5	—	*358*
Zimbabwe	*22,4*	62,7	12,7	2,2	—	—
Bolivie	*19,3*	16,9	5,8	48,3	9,7	*36*
Inde	*16,6*	77,5	3,9	—	2,0	*14*
Israël	*8,1*	55,6	15,5	17,5	3,3	*238*

Source : Starch-INRA-Hooper/IAA, *World Advertising Expenditures*, 1988.

de la moitié de la manne publicitaire et le cinéma a réussi à grignoter près de 10 % des recettes. Dans ce groupe également, l'Inde où la télévision est de création relativement récente (taux d'équipement de ce pays en postes de télévision : 14 pour 1 000 personnes contre 179 au Brésil).

Une chose est certaine : en matière de répartition des recettes par média, le clivage Nord/Sud n'est pas toujours de mise. Si besoin en était, on a là encore une preuve magistrale de l'étonnante diversité des systèmes médiatiques à travers le monde. Diversité encore visible à propos de l'affiche et du panneau publicitaire : ce secteur pèse respectivement trois fois et deux fois et demie plus lourd en Belgique et en France qu'au Royaume-Uni et en Allemagne fédérale.

D'un point de vue plus prospectif, tous les pays sont-ils fatalement appelés à reproduire un schéma d'évolution où la télévision serait la souveraine du paysage médiatique ? Une première réponse pourrait déjà se trouver dans des pays comme les États-Unis et le Japon où la part de la télévision est restée pratiquement stable depuis 1980 et le restera, selon les projections qui ne s'aventurent guère au-delà de 1992. D'ici cette date, la part du petit écran n'augmentera pour ainsi dire pas au Japon (45,8 % contre 45,3 % en 1987) et baissera légèrement aux États-Unis (33,9 % contre 34,1 % en 1987). Une autre réponse est celle que donnent les prévisions sur des marchés actuellement en pleine croissance comme ceux de l'Italie, de l'Espagne ou, même, de la France. Les travaux du binôme AA-EAT à l'horizon 1992 laissent supposer que la part de la télévision en Italie — qui est passée de 25,9 % en 1980 à 50,9 % en 1987 — ne devrait pas bouger et qu'en Espagne elle devrait s'accroître légèrement, passant de 30,9 % à 32,5 %. Quant à l'Hexagone, il ferait un saut de 22 % à 29,8 %. Il faudrait sans doute ajouter que dans des pays comme le Brésil ou le Mexique, la part de la télévision s'est stabilisée, depuis la seconde moitié des années soixante-dix, autour, bon an mal an, de 50 à 60 %. Ce qui semble indiquer que des modèles de distribution des dépenses par type de médias sont déjà fixés. Et surtout qu'ils sont redevables de l'histoire politique et économique de chaque pays.

La déréglementation

Les années quatre-vingt ont été celles de la conquête de nouveaux espaces pour le marché publicitaire. De nombreux pays jusqu'alors réticents à autoriser les spots sur leurs chaînes ont cédé à la pression commerciale. Par conviction ou par obligation. La création de chaînes privées, la privatisation de chaînes publiques et la décentralisation des systèmes télévisuels ont multiplié les espaces disponibles. Ainsi, en Espagne par exemple, entre 1981 et 1987, suite à l'arrivée des chaînes régionales, le nombre de spots s'est accru de 3 629 %. En France, avant sa privatisation, la principale chaîne publique ne pouvait diffuser que dix-huit minutes de publicité par jour ; depuis 1987, elle est autorisée à diffuser jusqu'à douze minutes par heure.

La région du monde où cette expansion de l'offre s'est révélée la plus intense est précisément l'Europe. Alors que les projections établies pour 1989 laissaient prévoir que, pour la première fois depuis 1975, le rythme de croissance des dépenses publicitaires aux États-Unis serait en deçà de celui du PIB, les taux de l'Italie et de l'Espagne ont flambé entre 1985-1990, atteignant 15 à 25 % annuels. Ce sont évidemment les deux cas limites, la France enregistrant un taux moyen de 10 % [15 % en 1988 devant le Japon (12 %), les Pays-Bas (11 %) et la Grande-Bretagne (10%)].

Fin 1988, comme nous l'avons déjà dit, seules parmi les pays européens, la Norvège et la Suède n'avaient pas encore autorisé la publicité à la télévision et à la radio. En dehors de ces deux pays scandinaves, l'Allemagne fédérale restait la plus sévère : vingt minutes par jour sur les chaînes publiques ; ce qui faisait que les annonceurs devaient parfois réserver leur place un an à l'avance. Successivement, la Belgique, le Danemark et les Pays-Bas ont libéralisé l'espace.

Le résultat de cette explosion de la publicité sur les chaînes européennes est que, entre 1980 et 1987, le total des dépenses publicitaires a augmenté de 103 % en valeur réelle, celles de la télévision s'accroissant de 181 %. Dans la même période, la télévision a vu sa part des recettes passer de 16,5 % à 22,7 %.

Ce grand bond en avant n'a pas pour autant gommé les spécificités des réglementations nationales sur la publicité. Si la prohibition de la publicité pour le tabac et les cigarettes fait l'unanimité auprès des autorités publiques, il n'en va pas de même pour les boissons alcoolisées permises en Italie (sur les chaînes privées), au Portugal (après 22 h), aux Pays-Bas, en Grèce, en Allemagne fédérale et en Belgique et privées de télévision en Espagne, en France, en Grande-Bretagne, en Irlande, en Finlande, en Autriche et en Suisse. La France qui interdit d'antenne la presse, les spectacles et la distribution a dû entamer en 1989 des discussions avec les représentants du secteur de la distribution désireux de voir lever les restrictions. Autre secteur stratégique : tout ce qui concerne la publicité en direction des enfants. La législation de Grande-Bretagne et de Belgique étant, par exemple, beaucoup plus permissive que la française. Au centre de la polémique : non seulement les limitations imposées à ce secteur mais l'interdiction faite par un décret de 1987 d'utiliser un enfant comme prescripteur d'un produit ou comme acteur principal d'un spot vantant un produit sans rapport direct avec lui. Une mesure fortement critiquée par les producteurs et réalisateurs de spots français qui ont fait de l'enfant un interprète privilégié (dans un quart des films publicitaires cuvée 1988, un ou plusieurs enfants étaient présents).

Mais la différence décisive entre les divers pays concerne les modalités de transmission des écrans publicitaires (maximums de temps d'antenne autorisés, heures de diffusion, insertion ou non dans un programme, durée maximale de la pause publicitaire). La RFA, par exemple, n'autorise pas la publicité après 20 h et exige qu'elle soit transmise en « blocs » ou « tunnels » d'annonces qui peuvent atteindre huit à dix minutes alors que de la Finlande à l'Italie en passant par la Grande-Bretagne et la France, sont permises les « coupes naturelles » à l'intérieur d'une émission.

C'est autour de ces réglementations que l'industrie publicitaire juge malthusienne que se sont développés les débats sur la télévision transfrontières dans les instances communautaires (voir chapitre V, 2).

État des lieux fin 1988 : les six chaînes françaises offraient chaque semaine 1 194 minutes de publicité ; les quatre chaînes commerciales britanniques, 1 354 ; les 350 stations italiennes, 7 189 ; l'Allemagne fédérale, 451. En octobre 1989, la Suisse avec son service public trilinguistique et une offre de 150 minutes a réitéré son opposition à la publicité interrompant les émissions de télévision ou de radio.

Les annonceurs

Les deux premiers annonceurs sur les marchés internationaux de la fin du siècle sont les mêmes que ceux des années cinquante et le leader n'a pratiquement jamais cédé sa place depuis la fin du siècle dernier. Ce sont l'américain Procter & Gamble et l'anglo-hollandais Unilever, héritier de Lever Bros. Deux lessiviers dont l'histoire est constitutive de celle de la publicité moderne. En 1987, Procter & Gamble a dépensé plus de deux milliards de dollars en publicité (dont 35 % hors des États-Unis). Unilever, 1,3 milliard, dont 56 % hors du territoire américain. Ce qui lui a permis d'être le premier annonceur au Royaume-Uni, en Grèce, en Indonésie, aux Pays-Bas, au Portugal, en Afrique du Sud, en Thaïlande, en République fédérale d'Allemagne ; deuxième en Australie et au Qatar ; troisième en Italie et à Bahrein.

Parmi les cinquante premiers annonceurs mondiaux, on retrouve toujours les grandes firmes américaines qui ont épaulé la fondation des réseaux de cette nationalité : Colgate, Mars, Coca-Cola, Pepsi-Cola, General Motors, Philip Morris, Kelloggs. Mais d'autres annonceurs en provenance d'autres pays se sont hissés dans ce peloton de tête. 29 viennent du Japon. La France, l'Italie, la République fédérale d'Allemagne sont représentées chacune par deux firmes, et la Suisse et la Grande-Bretagne par une seule. Nestlé, Nissen, Toyota, Fiat, Renault, Matsushita, Henkel, Volkswagen, NEC, Mazda, Hitachi, Philips, C&A, NTT, Sony, Citroën, Honda... Mais les budgets réunis de Citroën et de Renault atteignent à peine le tiers de celui de General Motors et la moitié de celui de Ford. Tant il est vrai que les gros annonceurs mondiaux ont toujours leur siège aux États-Unis [16].

Ce club des cinquante se retrouve indéfectiblement dans les premiers sur nombre de marchés nationaux et bien peu de médias à travers le monde des économies de marché peuvent rester en marge de leur rayon d'action. Ils proviennent principalement de l'industrie alimentaire et des boissons, de l'industrie des détergents et produits d'entretien ménager, de l'industrie automobile, de l'électronique et des grandes chaînes de distribution. Ils sont de ce point de vue représentatifs de la structure des dépenses publicitaires sur chaque marché national. Avec, quand même, une coupure très nette entre les pays du Nord et du Sud qui passe par l'industrie automobile. Les annonceurs de ce type se font rares parmi les dix premiers, même dans des pays comme le Brésil, le Vénézuela ou le Mexique où l'alimentaire et les détergents l'emportent largement. Cas insolite que celui du Vénézuela, le seul pays au monde où les trois premiers annonceurs appartiennent à l'industrie du disque et de la vidéo !

Quelques échantillons par pays de la structure des principaux annonceurs : sur le marché intérieur des États-Unis, en 1988 et pour la seconde année consécutive, Philip Morris, le géant du tabac, de l'alimentation et de la bière a — grâce à sa filiale née de la fusion Kraft-General Foods — détrôné Procter & Gamble, en tête depuis près d'un quart de siècle. Avec General Motors et le groupe commercial Sears & Roebuck, le quarteron représente 18 % des dépenses publicitai-

TABLEAU XI. — LES VINGT-CINQ PREMIERS ANNONCEURS DANS LE MONDE (1987)

Annonceurs	*Dépenses publicitaires*		% hors États-Unis
	Total mondial	*Total États-Unis*	
	(en millions de dollars)		
1. Procter & Gamble (EU)	2 111	1 387	34,3
2. Philip Morris (EU)	1 717	1 558	9,3
3. Unilever (P-B/GB)	1 313	581	55,7
4. General Motors (EU)	1 245	1 025	17,7
5. Ford Motor (EU)	900	639	28,9
6. Pepsi-Cola (EU)	831	704	15,2
7. Nestlé (Suisse)	824	341	58,6
8. McDonald's (EU)	743	649	12,6
9. Kellogg (EU)	659	525	20,4
10. Mars (EU)	649	379	41,7
11. Coca-Cola (EU)	579	365	37,0
12. Colgate-Palmolive (EU)	566	280	50,6
13. Toyota (Japon)	549	258	53,1
14. Nissan (Japon)	493	181	63,2
15. Volkswagen (RFA)	368	167	54,5
16. Honda (Japon)	341	245	28,0
17. Mazda Motor (Japon)	335	152	54,7
18. Kao (Japon)	293	—	100,0
19. Fiat (Italie)	253	—	100,0
20. Philips (P-B)	251	107	57,3
21. Matsushita (Japon)	251	20	91,9
22. Renault (F)	249	—	100,0
23. NEC (Japon)	245	55	77,8
24. Henkel (RFA)	210	—	100,0
25. Sony (Japon)	207	80	61,6

Source : Advertising Age, 19 décembre 1988.

res effectuées par les cent premiers annonceurs américains. Par catégorie, c'est le commerce de détail qui reste le premier fournisseur de publicité devant l'automobile, les services et l'alimentation. Quatre ans auparavant, l'alimentation et l'automobile venaient en tête. En France, ce sont ces deux secteurs qui ont occupé les deux premiers rangs en 1988, suivis par les produits d'entretien et la distribution. Premiers groupes annonceurs : BSN et Nestlé (avec chacun plus de 950 millions de francs), L'Oréal (911,5), Renault et Peugeot (autour de 780), Unilever (646) et Procter & Gamble (492).

En Grande-Bretagne, les lessiviers se détachent avec Unilever et Procter & Gamble, Nestlé et Mars occupent la quatrième et la cinquième place, le gouvernement s'intercalant à la troisième. Au Mexique, le premier est Procter, suivi de Colgate, deux groupes alimentaires nationaux et Pepsi-Cola. Les moins dépendants des annonceurs transnationaux sont sans nul doute le Japon où les dix premiers sont des firmes du cru, et la Corée du Sud avec, en tête, ses trois grands groupes électroniques.

Partout, le nombre de firmes qui participent au gros des dépenses publicitaires reste peu élevé. En France, 17 % réalisent 90 % des investissements. La tendance à la concentration des annonceurs suit également la ligne de faîte des mégafusions à l'œuvre dans l'ensemble de l'économie. Comme le prouve avec brio le cas de Philip Morris aux États-Unis. Cette concentration se module évidemment selon chaque média. Ainsi, toujours aux États-Unis, les cent premiers annonceurs sont responsables de près des trois quarts des dépenses à la télévision et de 64 % à la radio et n'interviennent dans les magazines et l'affichage que pour 44 % et 38 % respectivement.

Quelle est la proportion dépenses publicitaires/ventes pour chaque produit ? Estimations de l'Advertising Association qui — quoique à la pointe de la statistique publicitaire dans le monde — n'a commencé à la calculer qu'en 1985 à partir de sources à méthodologie et de fiabilité très diverses. Raisons qui la motivèrent à signaler de possibles surestimations. Quelques échantillons de ces *advertising/sales ratios* : analgésiques par voie orale (27 %), remèdes contre le rhume et la toux (23 %), médicaments contre l'indigestion (16 %), déodorants (27 %), shampooings (28 %), dentifrices (38 %), savons de toilette (15 %), lames et rasoirs (19 %), produits pour le bain (14 %), détergents et produits d'entretien ménagers (10 %), aliments pour chiens et chats (7 %), chewing-gum (12 %), céréales (14 %), aliments pour nourrissons (6 %), eaux gazeuses et colas (4 %), jus de fruit (6,5 %), café (7 %), thé (9 %), biscuits (2,7 %), yaourts (4,8 %), soupes (9 %), sucre (1,5 %) [17]. Des chiffres qui traduisent des tendances lourdes, mais qui sont susceptibles de varier selon chaque marché national.

Enfin, où se nichent les « annonceurs globaux » ou « transfrontières » ? Dans les chaînes paneuropéennes par satellite, emmenés par Coca-Cola et Pepsi. Mais, jusqu'à présent, l'expérience n'a guère été concluante. Puisque en cinq ans à peine la plupart de ces nouvelles chaînes ont déjà dû se reconvertir en projets nationaux ou ont disparu du paysage audiovisuel. Faute de téléspectateurs et d'annonceurs. Seules des chaînes thématiques comme Eurosport visent encore globalement le marché européen. Indiquant au passage un des vecteurs majeurs de la communion globale : les compétitions sportives (même s'il n'y a pas plus localiste que la ferveur des supporters !). Les différences culturelles ont déréglé la mécanique de précision qu'est une programmation. Tous les candidats transfrontières reconnaissent que l'avenir commercial des télévisions paneuropéennes doit s'adapter aux préférences des auditoires nationaux et qu'il peut être stimulé par la connaissance des langues.

Ce n'est donc pas du côté de la télévision qu'il convient de chercher l'« annonceur global ». C'est plutôt du côté des magazines et de la presse. Avec des fleurons comme *Time, Reader's Digest, Cosmopolitan, The Wall Street Journal, Elle*, etc., qui à travers leurs multiples éditions étrangères colportent les messages des mêmes annonceurs. Quels sont-ils ? Pour les quinze éditions de *Elle*, ce sont Chanel, Elizabeth Arden, Lancôme, Estée Lauder et Christian Dior. Pour les magazines dits « globaux » à cible plus générale comme *Reader's Digest, Time, Newsweek*, mais aussi les journaux financiers baptisés eux aussi globaux *(Financial Times, Wall Street Journal)*, ce sont, dans l'ordre et par catégorie, les compagnies aériennes, les services financiers, les communications, l'industrie automobile et le tabac.

En dehors des grands médias, point de salut ?

Quel est l'apport du « hors-médias » au marché de la publicité ? En 1989, il atteignait déjà 47 % des dépenses publicitaires en Italie, 38 % en France, 36 % aux États-Unis et 34 % au Japon. Ce secteur est toutefois trop varié et trop diversement défini pour permettre une analyse détaillée de tous ses segments. Quelques coups de projecteur donc.

En 1988, les États-Unis ont dépensé en marketing par téléphone plus de deux fois la somme destinée aux spots de télévision. Autre aire du « hors-médias » avec le vent en poupe : la promotion des ventes. Comme le signale une étude effectuée en 1989 par l'Ogilvy Center for Research & Development auprès de 314 sociétés du secteur de la grande consom-

TABLEAU XII. — LES TARIFS PUBLICITAIRES
PRESSE GLOBALE/PRESSE NATIONALE (1988)

Quotidiens et magazines	*Prix par page**	*Diffusion totale (en 1 000 ex.)*
Les quotidiens globaux	(en milliers de dollars)	
Wall Street Journal	109	2 104
USA Today	45	1 696
International Herald Tribune	38	177
Financial Times	34	287
Les magazines globaux	(en milliers de dollars)	
Reader's Digest	322	28 591
Time	212	5 949
National Geographic	169	10 462
Newsweek	149	3 999
Elle	135	2 974
Les quotidiens nationaux	(en milliers de francs)	
Ouest-France (presse régionale)	343	736
Le Figaro	273	443
France-Soir	191	375
Le Monde	159	364
Libération	69	166
Les Échos	64	80
Les magazines nationaux	(en milliers de francs)	
Le Figaro-Magazine	208	689
L'Express	153	554
Le Point	121	331
Le Nouvel Observateur	112	337

* Pour les quotidiens, prix de la page noir/blanc. Pour les magazines, prix de la page en quadrichromie.

Sources : élaboré à partir d'informations recueillies dans *Advertising Age* (19 décembre 1988) et *Les Chiffres clés du marché publicitaire* (par M. GRANDJEAN, HDM et O'TV). Pour la diffusion des quotidiens et magazines nationaux, les données correspondent à 1986 (OJD), les derniers dont disposaient les auteurs.

mation aux États-Unis, au Canada et en Europe (toutes ces firmes affichaient des budgets marketing équivalents à au moins 10 % de leur chiffre de ventes). En 1989, donc, ces entreprises consacraient 45 % de ces budgets à la publicité contre 55 % à la promotion. Douze ans plus tôt, les proportions étaient respectivement de 60 % et de 40 %.

TABLEAU XIII. — RÉPARTITION DES DÉPENSES PUBLICITAIRES *GRANDS MÉDIAS* ET *HORS MÉDIAS* EN FRANCE (moyenne 1987-1988)

Supports	*%*
Grands médias	*62,9*
Presse (hors petites annonces)	29,3
Télévision	18,5
Radio	5,4
Affichage	8,9
Cinéma	0,8
Hors médias	*37,1*
Publicité directe, imprimés	9,2
Publicité sur lieu de vente	5,7
Insertions (annuaires, etc.)	0,5
Expositions, foires, salons	1,6
Sponsoring, mécénat	3,7
Promotions	16,3
Autres	0,1

Source : IREP.

Communiquer sans recourir à la publicité classique : l'expérience des États-Unis des années quatre-vingt est de ce point de vue lumineuse. L'inventeur du marketing de masse qu'est Procter & Gamble est devenu un fervent du micro-marketing. Et parmi les responsables des grandes entreprises, il est désormais courant de trouver des constats comme celui-ci :« L'Amérique mythologique homogène s'en est allée. Nous sommes une mosaïque de minorités. Toutes les firmes sont obligées de faire du marketing plus stratifié, taillé sur mesure, un marketing de niches. » Ce diagnostic sur la nécessité de s'adapter au « nouveau consommateur » a pris dans la réalité des marchés segmentés les formes suivantes :

Tableau XIV. — Profil des budgets publicitaires dans trois secteurs en France (%)

Supports	*Alimentaire*	*Électroménager*	*Mode*
Grands médias	*44,0*	*65,4*	*53,2*
Hors médias	*49,4*	*28,0*	*40,4*
Promotion sur lieu de vente	7,8	1,6	12,5
Promotion des ventes	34,7	14,8	2,4
Salons et foires	1,0	2,8	17,2
Édition	2,0	7,7	2,7
Autres	3,9	1,3	5,6
Rémunérations des agences	*7,1*	*6,7*	*6,4*

Source : Joannis H., « La détermination du budget de publicité dans l'entreprise », *Revue française de marketing*, 1986, n° 5. Les questionnaires ont été administrés en novembre 1982-janvier 1983.

les firmes investissent de plus en plus dans la connaissance du consommateur ; elles diversifient leurs produits en modulant un même produit central ; elles recourent à des supports qui s'adressent à des audiences spécifiques (télévision par câble, magazines, affichage dans les restaurants universitaires, parrainage de compétitions sportives et de festivals à audiences ethniques et locales) ; elles tentent de toucher le consommateur sur le lieu de vente, là où, selon les estimations, se prennent les deux tiers des décisions d'achat ; elles renforcent leurs opérations de promotion (coupons, primes, loteries, cadeaux, concours, etc.). Enfin, elles se sont rapprochées des détaillants pour tenir davantage compte de leurs besoins [18].

La crise du marketing de masse est aussi celle du support de masse par excellence : la télévision. Au cours de la décennie, les audiences des *networks* (réseaux) ont chuté aux heures de grande écoute de 92 % à 67 %, et de 77 % à 57 % l'après-midi. En 1989, le taux de croissance de la publicité sur le câble et les stations locales était estimé à 25 % contre 1 % pour les grands réseaux.

Cette évolution hors du champ classique de la publicité alimente les discussions sur l'avenir du métier, et surtout sur celui de la créativité dans ces nouveaux champs professionnels qui ne font pas toujours montre de grande innovation. Même si l'ingéniosité des prospecteurs de nouveaux supports

Le marketing direct

L'Association des publicitaires britanniques le définit de la façon suivante : « Forme spécialisée de communication-vente qui peut faire partie de la publicité générale mais peut aussi agir indépendamment. Il recourt à la presse, au courrier, à toute espèce de publications, à la télévision, au téléphone et tout autre système électronique comme le télétext. Quel que soit le support employé, il cherche à établir une relation directe d'achat entre le consommateur et l'annonceur, qui se solde par la vente d'un produit ou d'un service qui sera ensuite acheminé. »

Mailing, Phoning, Publipostage, vente par Minitel, téléachat... En tête du marketing direct par Minitel, les grands de la vente sur catalogue : La Redoute et Les Trois Suisses. En 1988, La Redoute recevait en moyenne 18 000 commandes par jour avec des pointes de 25 000 certains jours. La moitié des spots transmis par les chaînes françaises comportait un numéro Minitel. Outre-Rhin, un système techniquement plus sophistiqué a échoué. En France, seul un tiers des appels Minitel concerne l'annuaire électronique pour lequel il avait été originellement conçu. En revanche, la RFA bat tous les records en Europe dans le publipostage : 3,4 milliards de lettres de prospection commerciale en 1988 contre 2,4 dans l'Hexagone et 1,6 en Grande-Bretagne, deuxième et troisième. Mais ce n'est encore que peu par rapport aux États-Unis : 60 milliards d'envois en 1988. Une lettre sur deux est de la publicité contre une sur dix outre-Manche et une sur quatre en France. Point étonnant donc que le publipostage ait pesé 18 % dans les dépenses publicitaires outre-Atlantique en 1988.

Même dynamique du côté du marketing par téléphone qui a mûri et s'est perfectionné au gré des progrès réalisés dans le domaine des banques et bases de données sur les clients potentiels, particuliers ou entreprises. Dans la communication *Business to Business*, c'est-à-dire de professionnel à professionnel, firme à firme, la hausse des coûts de la visite des démarcheurs a fait le reste. Selon une étude effectuée par la firme McGraw-Hill, le coût d'une telle visite est passé en dix ans de 97 à 252 dollars. En une heure, le télémarketing permet de toucher 3 à 7 clients au coût moyen de 7 à 15 dollars par contact.

En 1974, la France ne comptait que quatre sociétés de marketing téléphonique. Quatorze ans plus tard, 250 se partageaient le marché et France Telecom pronostiquait pour 1990 un volume d'affaires de 6 milliards de francs, soit près du double du marché publicitaire radio. Il faut tout de suite ajouter que, entre 1974 et 1988, le nombre de lignes téléphoniques a plus que quadruplé, passant de 6 millions à environ 26 millions.

s'y donne libre cours. Voici deux exemples qui sont aussi des métaphores de la boulimie publicitaire.

— le Vide-O-Cart System a fait son apparition dans les grandes surfaces des États-Unis. Il s'agit d'un écran posé entre les deux poignées du *caddy* et qui diffuse des publicités transmises par satellite, à partir d'un studio émetteur. L'écran émet un signal sonore à chaque fois que le client passe au niveau du rayon où se trouve le produit dont la publicité est

programmée, dans la limite disponible de deux annonces-produits par rayon. Les tests effectués ont révélé un rejet partiel du consommateur tout simplement parce que le nouveau support a délogé le bambin de son espace !
— la publicité a engorgé les télécopieurs américains à tel point que les États du Connecticut et du Maryland ont interdit la publicité par *fax*. Avec sa ligne constamment occupée, le possesseur d'un télécopieur ne pouvait ni recevoir son courrier rapide ni transmettre. Sanction de ce *junk-mail* ou « courrier pourri » : 200 dollars à chaque infraction.

Tandis que, surfant les âges, l'héritier du plus vieux support de la publicité moderne, la presse gratuite, affiche dans le pays qui l'a vu naître une insolente vitalité. Alimentée qu'elle est par les hypermarchés, les petits commerçants, les agences immobilières et les concessionnaires automobiles. Sait-on que, chaque semaine, les 570 journaux de petites annonces et de publicité locales inondent les boîtes aux lettres de l'Hexagone de leurs 40 millions d'exemplaires et que leurs recettes ont progressé de 106 % entre 1984 et 1988 ? Un exemple unique dans la presse française. A tel point que les gratuits sont devenus un enjeu pour les grands groupes de presse. Témoin les regroupements ou associations au sein de la Comareg (Compagnie pour les marchés régionaux), premier groupe d'édition de la presse gratuite en France et en Europe, du groupe *L'Indépendant-Midi Libre* et *La Voix du Nord*. Grâce à l'appui de son partenaire Havas, la Comareg diffusait en 1989 près de 13 millions d'exemplaires gratuits. Le second groupe, Carillon, propriété à 50 % du premier quotidien français, *Ouest-France*, atteignait sept millions... Ajoutons les mouvements de restructuration de ce secteur et de celui de l'affichage à l'échelon européen avec comme maître d'œuvre l'omniprésent Havas et l'on conclura que les stratégies d'internationalisation ne sont aucunement incompatibles avec les stratégies de « régionalisation ». Comme en témoigne aussi le déploiement en 1986 du réseau Havas Conseil/Marsteller dans plus d'une douzaine de métropoles régionales grâce à des associations avec des agences indépendantes locales ou à la refonte d'agences propres.

III / La recherche

1. L'industrie de l'information-décision

Le cerveau commercial

On peut difficilement concevoir des réseaux publicitaires et médiatiques qui seraient dépourvus de cette force logistique que sont les réseaux d'études. Scruter, sonder, analyser l'état et le mouvement des médias, des marchés et des consommateurs sont des fonctions devenues stratégiques dans un environnement hyperconcurrentiel.

Il n'y a pas moyen d'expliquer le rôle stratégique des études sans le référer à cette nouvelle économie de marché où — l'offre dépassant amplement la demande — l'entreprise leur enjoint d'anticiper la demande, de développer de nouveaux produits et de les faire évoluer. On est loin de l'économie de distribution, quand l'offre dépassait légèrement la demande et que la concurrence est apparue, où la mission des études était de prospecter sans intervenir beaucoup dans le produit. On est à des lieues de l'économie de production, quand la demande était supérieure à l'offre, où les études n'avaient pratiquement aucun statut dans l'entreprise, les services commerciaux se contentant d'administrer les ventes.

En 1988, le marché mondial des études était évalué à cinq milliards de dollars. Cette somme finançait sondages, mesures d'audience, études de marché et conseil. Pour la seconde année consécutive, l'Europe a pesé plus lourd que les États-Unis : 39 % contre 37 %. Les dépenses japonaises représentant autour du quart des européennes [19].

Dans ce secteur des services comme dans les autres, l'heure

est au redéploiement. Concentration et connexions transnationales. Les protagonistes en sont les groupes et agences publicitaires, les groupes multimédias et ceux de l'industrie de l'information électronique. Le résultat est déjà visible. Sur les marchés internationaux, les Américains et les Britanniques dominent. Les deux premières sociétés d'études d'envergure transnationale — qui sont américaines — ont changé de propriétaire : Nielsen en 1984 et IMS International quatre ans plus tard, rachetées par le groupe de même nationalité Dun & Bradstreet, spécialisé dans l'information financière, commerciale, technique et scientifique. En Grande-Bretagne, Robert Maxwell a jeté en 1988 son dévolu sur son compatriote AGB (Audit of Great Britain), première de la branche dans les îles et seconde firme mondiale de la mesure d'audience. Enfin, en rachetant J. Walter Thompson et Ogilvy, WPP a hérité des deux réseaux d'origine américaine MRB et Research Internationl [20].

TABLEAU XV. — LES CINQ PREMIERS RÉSEAUX INTERNATIONAUX D'ÉTUDES D'ORIGINE AMÉRICAINE (1988)

Firmes	*Revenus en millions de dollars*	*% hors États-Unis*	*% croissance 1988-1987*
1. A.C. Nielsen	880,0	57,0	20,5
2. IMS International	365,0	60,0	22,0
3. Information Resources (IRI)	129,2	14,2	22,5
4. Research International	103,4	80,0	9,1
5. MRB	78,2	53,1	28,0

Source : Advertising Age, 5 juin 1989.

Nielsen, le pionnier des études d'audience, a vécu dans l'indépendance et sous une gouverne familiale pendant près de soixante ans. C'est en effet aux années vingt que remonte sa fondation. A peu près à la même époque où un autre pionnier, George Gallup, lance le premier institut de sondages. Fort symboliquement, la famille Gallup perdra le contrôle de la société également à la fin des années quatre-vingt.

Depuis longtemps, certains de ces instituts pionniers avaient installé des filiales à l'étranger. Gallup débarqua en France et en Grande-Bretagne dès 1936 tandis que Nielsen installait sa première filiale à Londres en 1939 et J. Walter Thompson commençait ses premières études dans cette ville en 1933. Les années soixante, qui virent la consolidation des réseaux américains de publicité, furent aussi celles du renforcement des réseaux des sociétés d'études de la même nationalité. Aux enseignes des fondateurs, s'ajoutèrent d'autres noms : Louis Harris, Burke, etc. Dès les années soixante-dix, IMS, spécialiste du marketing médical et pharmaceutique, était présent dans plus de quarante pays, et Nielsen avait tissé un réseau dans plus d'une vingtaine régnant sans partage sur la mesure d'audience et contribuant au lancement des « europanels », autre domaine de ses compétences multiples. Au besoin, ces réseaux d'études croiseront leur savoir-faire avec ceux des autochtones et cela donnera les alliances Nielsen-Sofres et Ifop-Gallup en France.

Toutes ces sociétés d'études ont débuté sous les auspices de recherches circonscrites aux frontières nationales ; elles les ont poursuivies à travers des études au service des projets « orientés vers l'exportation » ; elles ont, ensuite, été aiguillonnées par la demande d'expertise formulée par des firmes multinationales cherchant à articuler les divers marchés nationaux ; dans les années quatre-vingt, projetées au cœur des réseaux transnationaux d'information, elles sont les premières à élaborer les catégories d'analyse et les méthodologies nécessaires pour la construction des marchés panrégionaux.

L'ubiquité du conseil

L'inventaire des domaines d'intervention professionnels des leaders mondiaux du secteur des études révèle une extrême diversité. D'autant plus que les champions de l'audimétrie que sont AGB et Nielsen ne se consacrent pas exclusivement à cette tâche et ont de nombreuses autres cordes à leur arc. C'est ainsi, par exemple, que Nielsen France — qui emploie 850 personnes et est la première filiale hors États-Unis du premier groupe mondial — développe une gamme de 60 produits d'études. Son activité principale reste les panels « détaillants » en alimentaire mais aussi en biens durables. Ses études consommateurs et médias (dont l'audience) ne représentent que le dixième de son chiffre d'affaires.

TABLEAU XVI. — LES DIX PREMIÈRES SOCIÉTÉS D'ÉTUDES EN FRANCE (1988)

Sociétés	*C.A. études en millions de francs**	*Effectif*	*Secteur d'intervention*
1. Nielsen	380	850	Grande consommation, équipement, médias, distribution.
2. SECODIP	248	700	Grande consommation, médias, équipement, services, distribution.
3. Sofres	161	246	Social, économie, services, médias, politique, sponsoring, distribution, industrie.
4. GSI Marketing	154	32	Automobile, alimentaire, laboratoires, banques.
5. Ipsos	103	105	Opinion, publicité, médias.
6. BVA	70	91	Agriculture, médias, opinion, services, industrie, équipement, grande consommation.
7. MV2 Conseil	68	85	Équipement, industrie, services, médical, grande consommation.
8. ISL	64	100	Services publics, grande consommation, automobile, médias, agriculture, transports, industrie, opinion, international.
9. Médiamétrie	59	50	Médias.
10. Seced (Research International-Ogilvy)	55	80	Grande consommation, biens durables, banques, informatique, luxe, pharmacies, médias, services publics.

* Hors conseil et formation.

Source : élaboré par F. BERTHIER et A. ESNÖL (*Communication/CB News*, 17 mai 1989) qui précisent que les chiffres déclarés sont sous la responsabilité des sociétés.

L'examen des offres de services proposés par les firmes classées sous la rubrique « sociétés d'études » dans tous les pays renforce l'impression d'éclatement de la profession. Cabinets d'études médicales, instituts d'opinion publique capables d'intervenir tout à la fois dans le domaine de la grande consommation, la recherche publicitaire, la politique et les secteurs de la santé, firmes spécialistes des études dites qualitatives, instituts de sondage, sociétés d'études prospectives et d'anticipation, conseils en investissement publicitaire, etc. Impression d'éclatement d'autant plus forte que, d'un côté, le processus de concentration engendre un nombre de plus en plus réduit de supergrands et que, de l'autre, on assiste à une floraison de mini- et micro-sociétés intervenant sur les questions les plus diverses. Les écarts enregistrés à l'intérieur même du groupe des dix premiers mondiaux sont, de ce point de vue, significatifs : Nielsen affiche un chiffre d'affaires équivalant à plus du double du numéro deux et dépasse de douze fois celui du numéro dix. En France, les deux premiers (Nielsen et Secodip) concentrent à eux seuls 45 % du chiffre d'affaires des dix premières sociétés d'études de l'Hexagone. La troisième société française (Sofres) n'atteignant pas la moitié de Nielsen France. La moitié des trente premières sociétés françaises pèsent moins du dixième de la filiale Nielsen. Et que dire des plus petites dont on sait peu de chose si ce n'est qu'elles sont, comme les grandes, plus que discrètes sur leur chiffre d'affaires ?

Au-delà du caractère disparate du secteur, se dégagent plusieurs lignes de force.

• Petits et grands, indépendamment de leurs créneaux, s'accordent pour ne plus se contenter de fournir des données, mais pour participer au suivi et à l'aide à la décision. La finalité des expertises est de plus en plus d'apporter des réponses concrètes aux problèmes concrets de leur client. C'est, d'ailleurs, la définition même du « conseil » : prescrire des stratégies. Ne plus se limiter à l'interprétation des phénomènes.

• L'heure est aux alliances à l'intérieur comme à l'extérieur du territoire national. Le petit complémente le grand en apportant ses compétences pointues sur un créneau. Ces rapprochements épousent les formes les plus variées : associations, prises de participation, rachat pur et simple. Ainsi, en 1988, Sofres, déjà bien implantée sur le marché médical, a racheté MMT (Marketing et Modèle Technique) et son modèle de comportement des médecins.

Mais c'est aussi et surtout la recherche de partenaires sur le marché international. Du moins pour ceux qui en ont les moyens. Plus question d'être seul, il faut avoir un réseau transfrontières. Après des décennies d'enfermement national, le numéro deux français Secodip a créé un département international et a ouvert des filiales en Espagne, au Portugal et au Maroc. En 1989, cet holding dont le capital est détenu à concurrence de 51 % par un groupe de fabricants — L'Oréal en possédant un peu plus de la moitié — et le reste par AGB (22 %), les cadres (24 %) et des participations diverses, a entamé des discussions tripartites avec son actionnaire britannique et le numéro un allemand en vue d'un partenariat international.

• Dans le développement de l'offre de services, les technologies informatiques ont apporté leur contribution fondamentale. Les nouvelles technologies de recueil et de traitement de l'information ont permis la constitution de bases et de banques de données de plus en plus affinées sur le consommateur. La segmentation des cibles a été rendue possible par des fichiers de plus en plus performants. L'essor de typologies chaque fois plus sophistiquées est même à la base de la nouvelle spécialité « hors médias » qu'est le marketing direct avec ses nombreuses variantes, la qualité des fichiers de prospects étant le gage de son efficacité. De nouveaux métiers sont ainsi apparus tel celui de « brokers de listes » qui dans les catalogues qu'ils offrent croisent une multitude de variables pour en dégager des groupes de personnes ou d'entreprises homogènes. La clé du succès : les styles de vie (voir *infra*).

Modèles de simulation, intelligence artificielle, programmes-experts, le langage de l'outil informatique est désormais un plus qui vous démarque du concurrent dans une industrie où l'on se bat à coup de néologismes (mapping, scanning, publi-track, sensor, etc.) qui claironnent le degré d'excellence. Sans que le client ait toujours la possibilité de faire la part des choses entre l'offre et la réalité des résultats.

• Dans le domaine plus spécifique de la recherche-médias, un nouveau partenaire de poids a fait irruption : la centrale d'achat. Une centrale qui ne se conçoit dans le futur qu'appuyée par une force de frappe « recherches » proportionnelle à son nouveau potentiel et à ses nouvelles fonctions. C'est en tout cas ce qu'enseignent déjà les nouveaux services proposés aux annonceurs et aux producteurs de programmes par le numéro un français et européen, Carat-Espace. Carat Laser, créé en association avec la société d'études Ipsos — quatrième sur le marché français —, offre des analyses instantanées sur les réactions du public, teste des grilles et des projets d'émission et mesure l'usure d'un programme. Et ce, grâce à un panel permanent de 1 000 téléspectateurs susceptibles d'être interrogés à tout instant. D'autre part, TV Marketing International — en partenariat avec l'Institut national de l'audiovisuel (INA) et Telescoop Analyse — permet aux producteurs d'anticiper les besoins des chaînes et de promouvoir leurs produits. Cette synergie recherche-production-diffusion doit aussi se comprendre dans le cadre de l'intérêt de la centrale d'achat d'intervenir directement comme producteur de programmes (voir chapitre IV, 2).

L'audimat se marie

La multiplication des chaînes, leur segmentation et leur internationalisation ainsi que les incertitudes du comportement des téléspectateurs ont lancé de nouveaux défis aux sociétés de mesure des audiences. Mieux les évaluer, c'est aussi mieux évaluer le risque d'une dépense publicitaire.

A l'audimat qui se contentait de mesurer la présence familiale devant le poste, a succédé dans la seconde moitié des années quatre-vingt la mesure d'audience individuelle par bouton-pressoir *(peoplemeter)* inaugurée par les deux grands de l'audimétrie mondiale, Nielsen et AGB. A peine généralisés, ces systèmes de « mesure active » — parce que exigeant la participation du téléspectateur qui doit pousser le bouton — sont menacés de disparition. Grands et *outsiders* de l'audimétrie travaillent d'arrache-pied à la mise au point d'un système de « mesure passive ». Celui qui remplacera le bouton que l'on peut oublier de pousser par un dispositif qui détecte sans intervention du téléspectateur les présences devant l'écran.

Nielsen a déjà annoncé la mort de son propre bouton-pressoir à l'horizon 1993. Le nouvel appareil projeté devrait reconnaître, grâce aux ondes porteuses, la silhouette et certains aspects physiques (profil, corpulence, traits) des téléspectateurs. Cette image, numérisée et stockée dans un boîtier pour chaque membre du foyer, permet au faisceau qui balaie la pièce de reconnaître le signalement numérique de chacun ou chacune.

Dans cette course à l'artefact performant, l'Europe des paysages audiovisuels dérégulés s'est convertie en laboratoire grandeur nature. Une société de conseil en communication, Motivaction, s'appuyant sur le savoir-faire d'un industriel de l'opto-électronique (la firme Bertin), a développé le Motivac. Son « œil » capte toutes les sources lumineuses de la pièce — les longueurs d'ondes du proche infrarouge —, l'informatique fait le tri, compte et identifie, permettant de connaître en direct le succès ou l'échec d'une émission. Au bout du processus, les clients de Télémétric — la société qui exploite le système — peuvent demander combien il y avait d'agriculteurs de telle région ou de femmes de telle tranche d'âge face à telle chaîne sur tel créneau horaire. De son côté, la société de conseil en investissement *(publicitaire, s'entend)* télévisuel O'TV, filiale commune de HDM et Young & Rubicam, a racheté les droits du C-Box. Inventé par un Britannique, ce système où sont combinés un récepteur doté d'un minuscule œilleton-caméra sur la gauche, et une batterie de magnétoscopes, le tout géré par un logiciel, enregistre le comportement du téléspectateur devant les écrans publicitaires. Les bandes sont ensuite communiquées aux chercheurs de la société par la famille et visionnées. A la différence des deux précédentes, il ne s'agit pas d'une mesure permanente, mais d'un outil d'étude et d'observation ethnologique, pourrait-on dire.

Mais la grande mutation qu'introduit la technologie dans les protocoles d'études se trouve ailleurs : dans le mixage des études sur les comportements d'achat et celles qui ont comme objet les attitudes des audiences devant le petit écran. Croiser le *scanning* des codes des produits achetés sur les points de vente et les mesures d'audience individuelles. Objectif : connaître l'offre à laquelle les consommateurs ont été confrontés dans le magasin équipé de *scanners* à partir de produits référencés (prix, promotion) et à quelle publicité ils ont été exposés (en général, ce mixage ne s'applique qu'à la télévision).

Symbole de cette convergence entre flux de marchandises et flux télévisuels, l'architecture des alliances de M. Berlusconi dans la péninsule qui fait jouer les synergies entre ses supermarchés Standa et ses réseaux de télévision. Ou, plus caricatural, le télé-achat, un dispositif où les « boutiques audiovisuelles » sont relayées par une solide infrastructure : achats, prises de commande, livraisons... Aux États-Unis, ces opérations ont même leurs propres chaînes au nom crûment marchand : Home Shopping Network, Cable Value Network, Shop Television Network.

2. Une science du consommateur ?

Le modèle linéraire

La publicité produit-elle de la science ? Réponse de l'historien de cette institution, Gérard Lagneau : « Les bureaux d'études des agences et les congrès de spécialistes du marketing produisent une science du consommateur, et plus précisément du comportement de celui-ci. Cette *behavioral science* est enseignée dans les universités, elle consiste en un bricolage intellectuel qui utilise des éléments arrachés à telle ou telle discipline académique afin d'en tirer des catalogues de recettes pour communiquer efficacement avec les consommateurs [21]. »

Les savoirs publicitaires sont avant tout l'affaire de la psychologie [22, 23, 24, 25, 26, 27].

Il y eut d'abord à la fin du siècle dernier et durant les deux premières décennies du XXe siècle, l'étape préfreudienne, encore appelée « instinctiviste ». La conduite du consommateur s'expliqua en termes d'instincts. Pour être efficace, on crut qu'il était indispensable de lier la marque à ceux-ci. On insista surtout sur la nécessité de tenir compte des trois dispositions instinctives qui expliquaient « l'influence sociale » : la « suggestibilité » ou la prédisposition à la suggestion, l'imitation et la sympathie ou convergence affective.

Les années vingt et le fordisme apportèrent le behaviorisme. Son fondateur, John Watson, fut lui-même promu responsable des recherches chez J. Walter Thompson. Ce sont les premiers pas de la psychologie du comportement. La théorie des stimuli-réponses envisage le consommateur comme un être susceptible d'être conditionné par l'apprentissage et établit une relation systématique de cause à effet. Le rapport consommateur-message fonctionne sur le registre de la réaction et de la mémorisation. Engendrée dans le laboratoire américain, cette théorie aura son pendant à l'Est avec l'avènement de la psychologie pavlovienne et sa conception de la propagande. Cette vision d'un consommateur passif conditionné dans son réflexe fera les choux gras des théoriciens du matraquage publicitaire et de leurs contempteurs.

Cette conception mécaniste et sommaire de l'acte de communication publicitaire sera infléchie par les modèles dits de la hiérarchie de l'apprentissage. On découpe la réception en trois niveaux : l'information ou le cognitif, l'attitude ou l'affectif, le comportement ou le conatif. *Learn, Like and Do.* Ces trois niveaux servent à désigner les trois objectifs de ce que peut être une stratégie publicitaire : faire connaître le produit, faire une publicité d'image, faire une publicité qui déclenche l'achat. A chacun de ces plans est rattaché un instrument de mesure de l'efficacité de la communication : mesure du souvenir ou de la notoriété d'une marque ou d'une campagne, mesure des attitudes et des images, mesure des comportements. Parmi les modèles qui ont fait les beaux jours de la publicité : DAGMAR (Defining Advertising Goals for Measuring Advertising Research) et AIDA (Attention, Intérêt, Désir, Achat).

La plupart desdites mesures de l'efficacité des campagnes publicitaires relèvent de cette problématique qui décompose le schéma stimulus-réponse. Citons, par exemple, les méthodes d'évaluation du souvenir DAR (Day-After-Recall), mises au point par George Gallup et toujours en vigueur. Mesure de l'impact des messages auprès d'un échantillon qui se traduit par un score : brut, lorsqu'il désigne la proportion de l'audience citant l'écran publicitaire vu quarante-huit heures auparavant ; prouvé, quand il considère le souvenir de la forme et du contenu des messages. Toutes ces méthodes sont redevables de l'expérience de l'industrie publicitaire des États-Unis.

La motivation

Le consommateur conditionné répondant mécaniquement à des stimulations externes sera, dès les années cinquante, mis en concurrence avec le consommateur motivé. La recherche motivationniste s'attaquera à l'étude des mobiles et des sentiments qui mènent à l'acte d'achat et de consommation. Elle postule que celui-ci est le produit d'une combinaison d'informations rationnelles et irrationnelles. Contre la rigidité de la recherche quantitative, elle prétend restaurer les approches qualitatives comme, par exemple, la technique de tests projectifs. Non seulement on posera aux interviewés des questions sur la marque ou le produit formulées de telle façon à les encourager à penser le sujet sous une autre perspective pour mieux éclairer les croyances et les sentiments les entourant, mais on leur demandera de personnifier une marque ou d'imaginer des usagers ou non-usagers de tel produit et de les décrire en termes de personnalité. Exemple de tests projectifs : en 1989, pour saisir les perceptions du public à l'égard de deux fabricants d'aliments concurrents, l'agence Mc Cann-Erickson a demandé à des personnes de rédiger des faire-part de décès pour chacune de ces deux compagnies. Tandis qu'Ogilvy confiait à d'autres consommateurs le soin d'imaginer des dialogues avec leur marque de cigarettes.

Le coup de maître de l'inventeur des études de motivations *(motivation research)*, Ernst Dichter, fut de révéler dès les années trente aux vendeurs qu'il valait mieux appâter le client avec une décapotable pour lui faire acquérir une berline. Fils de la révolution freudienne, celui qui écrivit un ouvrage sur la « stratégie du désir » fut parmi les premiers à parler d'inconscient dans le milieu publicitaire et à appliquer des techniques psychanalytiques à l'observation des marchés et de leurs habitants. Sensiblement à la même époque, un petit neveu de Freud, Edward Bernays, jetait les fondements techniques et philosophiques de l'industrie des relations publiques dans un ouvrage tout simplement intitulé *The Engineering of Consent*, l'ingéniérie de l'assentiment.

Les styles de vie

De l'intérieur ou de l'extérieur de l'industrie publicitaire, il a souvent été reproché à cette psychologie en acte du consommateur de faire peu de cas des déterminations sociales et culturelles. Au bout du compte, de tomber dans les travers du psychologisme.

C'est pour y remédier que furent lancées les études de « styles de vie » *(life styles)*. Originellement, c'est-à-dire lorsqu'elles démarrèrent aux États-Unis dans les années soixante, ces études qui cherchaient à classer la population selon leurs attitudes, leurs centres d'intérêt et leurs opinions (classement AIO) n'avaient pour mission que celle d'éclairer et de rendre plus complexes les typologies conventionnelles établies selon les variables traditionnelles (âge, sexe, habitat, occupation). Elles devinrent progressivement une pièce maîtresse de la recherche au fur et à mesure de la prise de conscience de la nécessité de prendre en compte ce que l'on baptisa « les variables culturelles ». L'outil informatique aidant, de plus en plus de variables furent croisées et l'établissement de séries chronologiques permit de suivre l'évolution des différents groupes homogènes de personnes, de déceler des « flux » et des « courants ».

Ces études offrirent à leurs clients des typologies de consommateurs-téléspectateurs-auditeurs-lecteurs regroupés selon des « mentalités socioculturelles ». A savoir de grands ensembles d'individus partageant conditions de vie, système de valeurs, de priorités, d'idéaux et de normes. Les « socio-styles » apparurent et des *mappings* (des cartes) furent dessinées autour d'axes qui varièrent avec l'évolution de ces mentalités. En 1980, la carte des socio-styles français, par exemple, se distribuait selon les axes mouvement-ordre et évasion-positivisme. Huit ans plus tard, prévalait la bissectrice sensualisme-ascétisme et aventurisme-pragmatisme-conservatisme. Entre l'une et l'autre date, aux décalés, aux libertaires, aux moralisateurs, aux utilitaristes, aux dilettantes, sont venus s'ajouter les « entreprenants ». Ces fresques de grands profils ont également engendré des produits dérivés : des « Média Styl' » (fréquentation des médias), des « Pub Styl' » (types de langage publicitaire) et des « Lexico Styl' » (destinés aux créatifs).

Fleuron de la recherche dite qualitative, les études styles de vie et autres socio-styles ont surtout prospéré dans les réalités où la prise en compte de la « détermination sociale » était arrivée en quelque sorte à faire partie du sens commun. C'est plus particulièrement le cas de la France où ces études ont connu un développement considérable après le séisme idéologique de 1968. En filigrane de cet essor, le désenchantement aidant, la promotion de l'idée de la fin des classes sociales. « Les classes sociales sont mortes. Vivent les styles de vie ! », s'exclamait en 1986 un des premiers promoteurs de ces études.

Si les typologies et cartes de socio-styles sont amplement divulguées et figurent dans tous les manuels de publicité et de marketing, en revanche, on ne connaît pour ainsi dire pratiquement rien de la façon dont ces produits d'études sont fabriqués. En outre, ces études sont le quasi-monopole de sociétés aux reins solides du point de vue financier et technologique. En France, le Centre de communication avancée du groupe Havas-Eurocom s'en est fait une spécialité depuis

1972 [28, 29, 30]. Grâce à son dispositif permanent de sondages nationaux à répétition, le CCA dispose de la banque de données statistiques la plus importante sur la place de Paris dans le domaine. Retour à l'envoyeur, le CCA International — de concert avec US Mapping (filiale américaine du groupe français GMF et du groupe Maxwell) — a déjà entamé ses travaux de segmentation socioculturelle commerciale de la population des États-Unis.

La problématique montante de la segmentation des marchés et de la fragmentation des audiences ainsi que leur internationalisation a donné un coup de fouet à ce type de recherches. En 1989, le CCA a sorti la première encyclopédie de l'Europe des styles de vie. Pour y arriver, il a fallu réaliser 24 000 interviews dans 15 pays : ceux du Marché commun plus la Suisse, la Suède, la Norvège et l'Autriche ; analyser 3 000 variables et pondre un rapport de 20 000 pages. Le résultat : un bestiaire des eurostyles. Des chats de gouttière, des hérons, des colombes, des éléphants, des renards, des écureuils, des hiboux, des requins, des mouettes, des albatros, des loups, des blaireaux, des otaries. Les chats de gouttière vivent au-dessus de leurs moyens, achètent des produits de beauté, des sorties et des loisirs au détriment de l'alimentation de tous les jours. Ils aiment la publicité de type « hollywoodienne », en quadri, brillante, « séguelienne ». Les hiboux sont attirés par les produits basiques et aiment une publicité démonstrative, classique. Les blaireaux aiment les écrans publicitaires et le sponsoring ainsi que les séries type *Dallas*. Les otaries aiment la presse de loisirs et du foyer... et ainsi de suite.

Nouveaux emprunts

Ravalés ou non, les courants fondateurs de la psychologie du consommateur sont toujours bien en place. Néanmoins, les années quatre-vingt ont vu surgir d'autres disciplines dans le champ des études.

• *La « cognitique »*. Ces recherches où œuvrent de concert informaticiens, électroniciens et neuro-biologistes tentent de mieux saisir la perception visuelle. Un problème essentiel pour les publicitaires quand on sait que 80 % environ de nos informations proviennent du sens visuel et que les autres formes de perception de l'environnement sont elles-mêmes étroitement influencées par la vue. Le développement de cette problématique de recherche est indissociable de l'émergence, dans le champ scientifique, des neurosciences et des sciences cognitives [31].

• *Les micro-procédures.* Ces approches — plus ou moins élaborées — consacrent le retour à la problématique du récepteur dans son rôle actif et contrent le déterminisme des psychologies expérimentales. Elles sont souvent le fait de chercheurs en provenance de sociétés d'études qui contestent les visions globalistes colportées par le discours mondialiste des grands réseaux et leur opposent les méthodes de l'observation ethnographique, seul moyen, selon eux, de saisir la complexité culturelle des sociétés contemporaines. Sous cette émergence, encore timide, on note surtout le souci de rompre avec l'unidisciplinarité de la majorité des études qualitatives.

Sous sa forme élémentaire, cet intérêt démontré par les agences pour d'autres angles d'approche donne ceci : l'engagement d'un anthropologue culturel pour suivre à la trace les usages et les usagers du *jean* Levi's. Sous une forme plus élaborée, on convie des psychanalystes à repenser le rapport création/inconscient, la mise en scène des fantasmes et des pulsions dans l'acte publicitaire et la place de la publicité dans le discours du patient [32].

• *Les sciences de l'interprétation.* Dans les grands réseaux transnationaux, des disciplines ont cours qui n'avaient aucun statut antérieurement. Grande première, en 1989, les responsables de la filiale américaine de J. Walter Thompson avouaient avoir produit leur campagne pour le rasoir Schick grâce à l'arsenal de la sémiologie ou « science des signes ».

Innovation largement éventée dans les agences françaises où ces emprunts remontent à la fin des années soixante quand un chercheur du groupe Publicis, élève de Roland Barthes, établissait les premières grilles d'analyse sémiologique des annonces et disséquait les figures de la rhétorique publicitaire [33].

IV / La production audiovisuelle

1. L'économie du spot

De nouveaux acteurs

« Le cinéma, quel merveilleux véhicule de propagande pour la vente de produits de toutes sortes ! Il suffirait de trouver une idée originale pour attirer l'attention du public et, au milieu de la bande, on lâcherait le nom du produit choisi [34, 35]. » Dès 1898, l'auteur de ces lignes, Georges Méliès, passe du rêve à l'acte et tourne ses premières bandes. Le film publicitaire est donc né avec l'invention du cinéma. Les premiers annonceurs furent la moutarde Bornibus, les chocolats Menier et Poulain, l'Amer Picon, le whisky John Dewar's, le cirage, les porte-chapeaux et les baleines de corset. Pour Bornibus, Méliès imagina une salle de restaurant dans laquelle les clients se disputaient et s'aspergeaient de moutarde. Un chien se mettait à la lécher goulûment. Stratagème pour faire lécher l'animal : il remplace la moutarde par de la crème au chocolat.

Quatre-vingt-dix ans plus tard, il se produisait dans le monde entre 60 000 et 65 000 films publicitaires annuels. Environ 35 000 aux États-Unis, 7 000 en Grande-Bretagne, 2 000 en Italie, 1 500 à 2 000 en République fédérale d'Allemagne, 1 300 en Espagne, 1 100 en France, entre 300 et 500 en Belgique, au Danemark et au Portugal. Depuis les années cinquante, le film publicitaire a ses propres festivals : Venise, Cannes, Londres, New York. Mais ce n'est qu'à la fin des années quatre-vingt qu'ils ont été remarqués par la grande presse.

Pendant plus d'un quart de siècle, les producteurs anglo-saxons ont décroché la plupart des grands prix, suivis par la France et le Japon. Même si les États-Unis et la Grande-Bretagne sont toujours bien installés en tête du palmarès, les années quatre-vingt ont vu l'arrivée d'autres nations. Comme en témoigne le 36e festival international du film publicitaire de Cannes célébré en 1989. 3 700 films en compétition dont 810 américains, 480 britanniques, 325 français, 267 japonais, 246 espagnols, 216 italiens, 198 brésiliens et, grande première, trois films envoyés par l'Union soviétique. Le grand prix a été décerné à une agence madrilène. C'est la première fois que l'Espagne reçoit une telle récompense. Autres médaillés : un spot de Singapour et un autre du Zimbabwe (pour les souliers Bata). Pour la première fois aussi, l'Espagne avec ses 25 « Lions » a dépassé la France (20 « Lions »). La Grande-Bretagne en raflant 36 et les États-Unis, 32. En 1981, le Brésil avait causé la sensation en devançant le carré des grands.

Profil d'une industrie

Partout dans le monde, annonceurs, agences et sociétés de production se plaignent du renchérissement du coût de fabrication du spot. Les annonceurs talonnent leurs agences, lesquelles harcèlent les sociétés de production. Pour répondre à cette pression, aux États-Unis de grandes agences comme Leo Burnett et DDB Needham ont étayé leur propre maison de production tandis que des annonceurs comme Procter & Gamble révisaient leurs procédures d'appel d'offres pour la production de spots et partaient à la recherche de producteurs hors de New York et de Los Angeles. Partout, les comptes sont épluchés. Rares sont les agences de publicité qui disposent de studios pour produire leurs spots ; il faut la force et la diversification du japonais Dentsu pour pouvoir vivre en autarcie en cette matière. La plupart doivent donc commander la réalisation de leurs spots à des producteurs extérieurs.

Les pressions ambiantes ont ceci de positif : c'est l'heure où l'on établit l'état des lieux.

En 1987, le Committee on Broadcast Production de l'Association américaine des agences de publicité (AAAA) a rendu son premier rapport sur la question. Le but poursuivi étant de commencer à harmoniser les calculs et les pra-

Métiers de la publicité

En agence

• *Le pôle commercial* constitué par le chef de publicité. Il gère les relations avec l'annonceur. Il assume la responsabilité commerciale des campagnes publicitaires pour le compte de ce dernier. A ce titre, il négocie avec lui, analyse ses besoins, propose une stratégie en élaborant la *copy-strategy*. Document de base qui définit les objectifs, le contenu de ce qu'il faut communiquer et établit le profil des consommateurs, la « cible ». Bref, il conçoit la campagne et coordonne les équipes de créatifs et les responsables médias.

• *Le pôle créatif* constitué par le concepteur-rédacteur (littéraire) et le directeur artistique (visuel). Ils produisent l'idée de la campagne, déclinent les formes que prendra le slogan et assurent le suivi. Le premier conçoit et rédige des textes publicitaires et promotionnels. Le second conçoit les images (ciné, photo, graphisme...) et accompagne la réalisation technique (maquette, prises de vues, etc.). C'est lui, par exemple, qui assure le lien avec la société de production.

• *Le pôle médias* ou *media-planner*. Il construit le plan-médias et formule la campagne en termes d'évaluation concurrente des supports, des produits, des programmes, des audiences.

En régie

• *Le chef de publicité.* Sa mission : la vente d'espaces publicitaires aux agences ou aux annonceurs, la prospection de la clientèle, la promotion et la négociation.

Chez l'annonceur

• *Responsable publicité/promotion des ventes.* En publicité : conception et réalisation de campagnes publicitaires traditionnelles (médias) ou de publicité directe (*mailing, phoning,* etc.), éventuellement en liaison avec une agence-conseil ; exploitation des résultats ; suivi du budget publicitaire. En promotion des ventes : conception du programme de *merchandising* (marchandisage ou événement promotionnel organisé sur les lieux de vente) et conditionnement ; suivi du budget promotionnel. Autre fonction, l'assistance à la vente : action de formation de la force de vente ; établissement de programmes, animation de stages, rédaction de documents.

Avec la restructuration de la fonction « communication » dans l'entreprise et l'apparition du « directeur de la communication », ce poste a vu s'élargir ses attributions (voir chapitre V, 1).

Chez tous les partenaires du processus publicitaire, la complexité croissante du secteur « études » a, elle aussi, contribué à diversifier les profils des postes drainant des disciplines auparavant étrangères à la recherche liée aux besoins du marché (voir chapitre III).

tiques du secteur en territoire américain. Devant la difficulté de procéder à un recensement exhaustif, l'Association a tra-

vaillé sur un échantillon de 22 grandes agences et de 2 400 spots produits en 1987. Résultats principaux :
— *coûts de fabrication :* en moyenne : 145 600 dollars. Mais le chiffre grimpe à 241 900 pour les sodas ou les *fast-foods* (Coca-Cola, Pepsi, Mc Donald's), immédiatement suivi par les produits de beauté (223 000 dollars). Au bas de l'échelle, les spots pour les jouets (122 200) et les produits conditionnés (119 500) ;
— *avantages comparatifs :* le spot produit à New York ou à Los Angeles coûte deux fois plus cher que celui produit au Canada ou ailleurs aux États-Unis ;
— *lieu de tournage :* filmer en studio revenait 15 % moins cher qu'en extérieurs. Un peu moins de la moitié avait été tourné en studio, un tiers en extérieurs et le reste dans les deux à la fois ;
— pas plus de 24 % des spots avaient une musique originale contre 30 % de nouveaux arrangements d'une musique existante ; 40 % environ ne comportaient aucune bande son musicale. Le reste utilisait des chansons connues ou des œuvres du répertoire ;
— une information complémentaire en provenance de la société Nielsen et des *networks* permet de mesurer l'évolution des formats. Entre 1981 et 1987, le nombre de spots de 60 secondes a chuté de 92 % à 61 % tandis que la proportion de ceux de 30 secondes grimpait de 2 % à 36 % pour se stabiliser autour de 38 % au cours des années 1988 et 1989. La recherche d'une riposte efficace à la pratique du saute-chaîne n'est évidemment pas étrangère à ce changement. Entre 1985 et 1989, le nombre de foyers équipés de télécommande est passé de 29 % à 72 %.

En 1989, le syndicat des producteurs français de films publicitaires (SPFP) a mené à bien la première étude quantitative jamais effectuée en France sur le secteur (les premiers spots de publicité de marque sont apparus en octobre 1968 !) [36]. L'enquête s'est voulue exhaustive et a donc touché la plupart des sociétés de production ou agences, les interrogeant sur le millésime 1988. Rappelons qu'une société de production de films publicitaires a comme fonction de réaliser les films que lui commande un client — normalement une agence, moins souvent un annonceur. Cette société est l'employeur des réalisateurs et de tous les techniciens, ouvriers et comédiens qui collaborent au film. L'agence, quant à elle, est responsable de la création (le *story-board* ou planche où sont dessinés les différents plans du scénario). En général, les projets de films font l'objet d'un appel d'offres. Certaines sociétés se sont même attaché en exclusivité les services de cinéastes reconnus qui ont une rémunération fixe. Le choix de la société se fait notamment en fonction du réalisateur pressenti et du prix proposé.

Photographie de l'industrie française du spot :
— *coût de fabrication :* 56 % des films ont coûté moins d'un million de francs, 32 % entre un et deux millions, 9 % entre deux et trois, le reste plus de trois. Au-delà du million, on ne trouve pratiquement que des spots commandés par les trois catégories d'annonceurs : alimentation, boissons ; hygiène, toilette, santé ; automobile. En revanche, 90 % des productions pour le secteur « hôtels, restaurants, région » ne dépassent pas le million ;
— *tournage :* 62 % des films ont été tournés en studios, le reste à l'extérieur ou en combinant les deux. 72 % ont été tournés entre un et trois jours. Durée moyenne d'un tournage : 2,6 jours. 60 % faisaient vingt secondes et moins ; 31 %, trente secondes ;
— *support :* 91 % des productions ont été réalisées sur pellicule en 35 mm et seulement 7 % en vidéo. Par ailleurs, 58 % ont fait l'objet d'une post-production en vidéo ;
— *nationalité :* 35 % des journées de travail-interprète ont été payées à des étrangers ; 25 % des chefs-opérateurs et 30 % des réalisateurs étaient étrangers ;
— *réalisation :* sur la base de 600 productions recensées, réalisées par des professionnels français, seulement un d'entre eux a fait plus de vingt films dans l'année, dix entre 10 et 19, vingt-quatre entre 5 et 9, le reste (164) en a réalisé de un à quatre.

Une source de travail

L'industrie du spot publicitaire est progressivement devenue une pièce essentielle des industries de l'image. Elle l'est d'ailleurs depuis longtemps dans les pays qui ont vu se décimer leur industrie du long métrage. Comme la Grande-Bretagne, second producteur mondial de films publicitaires où cette activité est six fois plus importante que celle du long métrage, l'importance étant ici jugée d'après les journées de travail pour les techniciens, l'utilisation du matériel et des

TABLEAU XVII. — QUELQUES TARIFS DES ÉCRANS PUBLICITAIRES SUR LES TROIS PREMIÈRES CHAÎNES FRANÇAISES EN 1988 (en milliers de francs)

TF1			*A2*			*FR3*		
Écrans	*Tarif 30"*	*En % pén. foyer*	*Écrans*	*Tarif 30"*	*En % pén. foyer*	*Écrans*	*Tarif 30"*	*En % pén. foyer*
Di 19 h 00	100	12	Lu 19 h 05	68	8,4	19 h 15	45	7,2
Sa 19 h 10	130	20,3	Ma 19 h 05	61	10,3	19 h 45	45	6,5
Di 19 h 20	130	13	Me 19 h 05	57	9,2	20 h 00	80	8,8
Se 19 h 30	180	19,7	Je 19 h 05	61	8,9	Sa 20 h 00	70	7
Se 19 h 40	220	24,1	Ve 19 h 05	57	9,9	Sa 20 h 15	80	8
Sa 19 h 40	180	23,9	Sa 19 h 05	54	7,4	Lu, Ma, Je 20 h 30	140	9
Se 20 h 00	270	23,7	Lu 19 h 30	187	11,3	Me 20 h 30	80	5,3
Sa 20 h 00	245	24,6	Ma 19 h 30	176	9,5	Ve, Sa 20 h 30	90	7,5
Di 20 h 00	200	14,2	Me 19 h 30	187	8,3	Di 20 h 30	50	9,6
Lu 20 h 30	330	25,4	Je 19 h 30	208	8,7	Sa 20 h 45	110	9,2
Ma 20 h 30	300	24,5	Ve 19 h 30	166	7,6	Ve 21 h 30	60	5,6
Me 20 h 30	380	33,8	Sa 19 h 30	16	10,2	Sa 21 h 45	45	3,9
Je 20 h 30	280	24,3	Di 19 h 30	156	10,8	Lu, Ma 22 h 00	100	5,4
Ve 20 h 30	360	22,8	Lu 19 h 55	243	14	Me, Ve 22 h 00	50	3,6
Sa 20 h 30	340	25,3	Ma 19 h 55	243	15	Je 22 h 00	80	4
Di 20 h 30	360	21,4	Me 19 h 55	257	15,2	Sa 22 h 00	60	1,9
Lu 20 h 40	350	24,2	Je 19 h 55	243	13,6	Di 22 h 00	20	3,3
Ma 20 h 40	300	23,3	Ve 19 h 55	229	13,2	22 h 30	30	2,7
Me 20 h 40	380	34,4	Sa 19 h 55	214	11,3	Sa 22 h 30	40	2,3
Je 20 h 40	280	23,2	Di 19 h 55	286	17,1	Di 22 h 30	50	4,5
Ve 20 h 40	360	20,4	Lu 20 h 25	294	19,3			
Sa 20 h 40	300	25,4	Ma 20 h 25	368	18,5			
Di 20 h 40	390	22,1	Me 20 h 25	282	18,7			
Me 21 h 10	395	30	Je 20 h 25	380	22,5			
Je 21 h 10	310	27,7	Ve 20 h 25	331	19,1			
Ve 21 h 10	380	19,6	Sa 20 h 25	276	14,3			
Sa 21 h 10	320	22	Di 20 h 25	257	18,1			
Lu 21 h 30	437	22	Lu 20 h 35	294	19,3			
Ma 21 h 30	360	21,5	Ma 20 h 35	368	18,7			
Di 21 h 30	465	21,3	Me 20 h 35	282	16			
Me 21 h 40	395	29,2	Je 20 h 35	380	23,1			
Je 21 h 40	310	23,1	Ve 20 h 35	331	17,7			
Ve 21 h 40	380	24	Sa 20 h 35	276	14			
Sa 21 h 40	320	23,8	Di 20 h 35	257	17,6			
Je 22 h 10	130	12,9	Ve 21 h 30	150	11,8			
Lu 22 h 30	130	12,1	Di 22 h 00	130	7,8			
Ma 22 h 30	110	9,7	Sa 22 h 10	139	125			
Me 22 h 30	150	16,4	Lu 22 h 15	114	6,5			
Di 22 h 30	150	10	Ma 22 h 15	147	11,2			
			Me 22 h 15	122	7,9			
			Je 22 h 15	147	8,9			

Source : Élaboré par O'TV, filiale conseil en investissement télévision de HDM, 1988. Pour les audiences (% de pénétration dans les foyers), la source provient de Médiamétrie Audimat constatée en avril 1988. Précisons qu'il s'agit des tarifs affichés (voir chapitre II, 1).

prestations. En revanche, le film publicitaire français ne pèse encore que 50 % à 60 % de l'activité de long métrage.

Cette dépendance excessive des studios britanniques à l'égard des commandes publicitaires explique en partie pourquoi toute une génération de cinéastes a d'abord fait fortune dans la publicité avant de traverser l'Atlantique pour séduire Hollywood. Adrian Lyne (*Liaison fatale* et, surtout *Flashdance*), Tony Scott *(Top Gun)*, Alan Parker *(Bugsy Malone, Midnight Express, Fame, Angel Heart, Mississipi Burning)*, Ridley Scott *(Alien)*. Ce dernier a même remporté le grand prix Cinéma au festival du film publicitaire de Cannes de 1976 pour une bande réalisée pour *Elle*. En 1989, Ridley Scott a tourné le spot pour les pâtes Barilla dans la Villa Médicis.

Partout, les grands studios de l'âge d'or des cinémas européens ont dû faire place au nouvel arrivant. En Italie, Cinecittà a réussi à sortir du rouge en accueillant les producteurs de spots qui, en 1986, représentaient près d'une fois et demie l'industrie du long métrage.

L'industrie du spot est un marché de travail pour les techniciens, les décorateurs, les comédiens et les réalisateurs. Scénarios à étoiles ; 300 vedettes se sont déjà relayées dans le monde pour vanter le savon des stars Lux, formule inventée par J. Walter Thompson ; 20 acteurs et chanteurs se sont succédé — pour un cachet oscillant autour de 400 000 francs — pour célébrer la douceur de la poudre à laver Woolite ; Catherine Deneuve est apparue dans les quatre spots de la privatisation de la Banque Suez pour un cachet évalué à 2,5 millions de francs ; tandis que Thierry Lhermitte décrochait 4 millions pour un spot Vichy-Saint-Yorre. Étoiles et gens de la troupe, la publicité française emploie près de 2 000 comédiens venus du long métrage, du théâtre ou du café-théâtre.

Côté réalisation, parmi les 24 cinéastes français qui ont fait de la publicité en 1989, il y avait Jean Becker (BNP, Suprême des Ducs, Renault 5, Seat Marbella, Shell Diesel, Herta, Tetrabrik), Luc Besson (AX Diesel, Feu vert), Raymond Depardon (Sécurité routière, Sécurité domestique), Gérard Jugnot (Maille, Hoover), Claude Miller (Apple, Mamie Nova). Mais c'est aussi tous ceux qui, à l'occasion ou systématiquement, ont au cours des années précédentes apporté leur caution à la créativité publicitaire : Édouard Molinaro (Canada Dry, Crunch, Lipton, etc.), Yves Boisset (Renault),

Claude Chabrol (Gervais, Crédit Lyonnais, Collant Weill), et même Jean-Luc Godard pour Schick. Et puis, il y a surtout ceux qui font ce métier à plein temps (même si certains de ces derniers sont de plus en plus tentés de passer du spot au long métrage). Étienne Chatillez (Spontex, Eram, BN), Jean-Paul Goude (Diam's, EDF, Kodak), Éric de La Hosseraye (Cutex, Camay, Saupiquet, d'Aucy), Jean-Baptiste Mondino (Kodak). Une seule femme figurait en 1989 dans le palmarès : Sarah Moon (Chambourcy, Playtex, Jockey, Frigicrème). Car — en France, tout au moins — l'univers de la réalisation publicitaire est l'affaire des hommes : 3 % des films ont été réalisés par des femmes (25 productions tournées par 11 réalisatrices différentes).

Le tube

Rien ne vaut un spot pour faire grimper les actions d'un chanteur-interprète. En 1989, l'Américaine Robin Beck « cartonnait » dans le monde entier grâce à *First Time*, lancée par Coca-Cola. Quelques mois auparavant, Sandy avait monopolisé le Multitop et les ondes françaises avec *J'ai faim de toi*, issu tout droit de Chambourcy. Mais ces tubes originaux ne représentent qu'une minorité de la musique utilisée par les bandes-son publicitaires, comme le prouve l'enquête américaine passée en revue plus haut. En France, en 1989, 14 % des spots avaient une musique ou un *jingle* propre à la marque ou au produit, repris ou décliné à travers les différentes campagnes.

Ce qui, en revanche, est de plus en plus fréquent, c'est de recourir aux œuvres du répertoire, soit dans leur enregistrement original, soit dans une version réorchestrée. Dans ce cas, il n'est pas fait appel au compositeur mais à une maison de disques (éditeur ou producteur). Exemple : le Brésilien Chico Buarque pour Dry de Schweppes. La chanson reprise *(Essa Moça 'Tá Diferente)* qui date de 1969 a plus fait pour ce chanteur que ses vingt-cinq années d'engagement dans la défense des droits de l'homme puisqu'il s'est retrouvé à la huitième place du Top 50 grâce au soda. A la même époque de l'année 1989, Jacques Brel faisait une percée au Brésil avec *Ne me quitte pas* grâce à un spot des grands magasins C&A. Contre la volonté des héritiers et ayants droit du chanteur belge. En été de la même année, le producteur de la campagne Orangina popularisait la lambada en s'appropriant une chanson, très connue en Amérique latine et inconnue jusqu'alors en Europe, d'un auteur bolivien, mise à la mode par une chanteuse brésilienne !

Recyclages célèbres en 1988-1989 : *Stand By Me* (Ben E. King) et *When a Man Loves a Woman* (Percy Sledge) qui se sont hissés dans les *charts* 1988 sur les ailes des jeans Levi's, *My Baby Just Cares For Me* (Nina Simone) sortie du purgatoire par Chanel, l'infaillible *Only You* des Platters remis à l'heure 1989 pour les piles Mazda et La Vache qui Rit et, enfin, Kid Creole venu à la rescousse des biscuits Pepito.

Si Chico Buarque ne fait que sourire devant un tel usage, si Gianna Nannini se montre bien contente de débarquer en France en chantant *Maschi* pour Buitoni, d'autres artistes n'apprécient guère ce que les Anglo-Saxons appellent la *cross promotion*. Ainsi Sting n'a-t-il guère approuvé l'idée d'être associé à une marque de déodorant par le truchement de son tube *Don't Stand so Close to Me !* Cela n'empêche pas les maisons de disques de créer des bureaux qui s'occupent exclusivement de cette « promotion croisée ».

Les compositeurs qui figurent dans les catalogues de musique classique — qui reste la plus prisée — doivent se retourner dans leur tombe : Bach pour Mercedes, Mozart pour Goodyear... Schubert pour Canard WC.

Une crise paradoxale

L'augmentation des espaces et des dépenses publicitaires dope-t-elle la production nationale de spots ? Réponse du syndicat français des producteurs de films publicitaires : rien n'est moins évident.

En 1988, les dépenses publicité TV ont progressé de 27 %, soit plus du double du taux général ; la production de films publicitaires a, quant à elle, enregistré une chute de 20 % par rapport à l'année antérieure. Le niveau des 1 100 films produits serait même inférieur à celui de 1984, estimé à 1 475.

En 1984, un film sur vingt était une adaptation d'une campagne étrangère ; en 1988, la proportion était de un sur cinq. En outre, les reprises de films français antérieurs à 1988 ont augmenté (un quart des spots diffusés). Un nombre non négligeable de films anciens avaient même une durée de vie supérieure à cinq ans.

Les raisons de cette baisse : ralentissement ou arrêt des

investissements des annonceurs qui doutent de la force du média TV (zapping, écrans trop longs) et préfèrent la formule sponsoring ; désir des annonceurs de rentabiliser leur mise en multipliant la fréquence des passages, quitte à remonter de vieux spots dans des formats ultra-courts, et en s'abstenant de risquer de jeunes réalisateurs ; prolifération des prétests de création (pour endiguer le risque au maximum) qui repoussent le démarrage des campagnes ; coûts excessifs de production (devis de production et cachets des comédiens, mannequins, musiciens et réalisateurs). C'est, entre autres, ce coût de production global élevé qui fait que plus du quart des productions de nouveaux films se tournent à l'étranger (sans dénier les raisons de décor et de climat).

Cri d'alarme des producteurs français : « Nous souhaitons que notre rapport serve de point de départ à une réflexion constructive qui permette à la publicité télévisée française de ne pas attraper les mauvais aspects de la télévision française (création "bas de gamme", importation à outrance du modèle américain). Car, à terme, tout le monde le paiera : les sociétés de production, les agences, les annonceurs, l'industrie cinématographique et le public. »

D'aucuns s'empressent d'ajouter que la « crise du scénario » a atteint de plein fouet l'une et l'autre composantes des industries de l'image.

2. Les nouvelles formules

Une vieille histoire

En avril 1989, Coca-Cola, Procter & Gamble, Mc Cann-Erickson, Lintas, Young & Rubicam ainsi que les centrales d'achat ont fait une apparition remarquée au marché international des programmes de télévision (MIP) à Cannes. Sponsor officiel de l'événement, Carat-Espace a annoncé la création de sa nouvelle filiale, Carat Entertainment, basée à Londres et spécialisée dans la production et la distribution de programmes au niveau international. Cette filiale doit permettre aux annonceurs de s'intégrer dans des montages liant leurs marques et leurs campagnes à des productions ou coproductions audiovisuelles.

Glissement naturel, la centrale d'achat et les réseaux deviennent l'« interface » des annonceurs, des médias et des producteurs de programmes à l'échelle internationale. Comme en témoignent la création en 1989 par Young & Rubicam d'une unité de distribution et de production de programmes à New York et le plan ambitieux de Lintas de coproduire un feuilleton de 260 épisodes avec les télévisions du vieux continent.

Cette nouvelle fonction n'est pas aussi inédite qu'il y paraît. D'autres agences et annonceurs avaient déjà mis l'idée à exécution dès la fin des années vingt lorsqu'il s'était agi de construire une audience de masse pour les nouveaux réseaux radiophoniques. C'est là que naquit le *soap opera* sous les auspices de Procter & Gamble, converti en producteur. Visant essentiellement le public des ménagères sur le créneau horaire de l'après-midi, ces séries et feuilletons de radio furent relayés peu après par les mêmes produits mais, cette fois, en images sur les réseaux de télévision. Si les agences de publicité se retirèrent progressivement de ce type d'activité, en revanche, le lessivier n'a jamais fléchi et a largement fêté son cinquantenaire dans la profession de producteur audiovisuel [37].

Des États-Unis, le genre *soap opera* — jamais produit de la culture de masse n'a signifié aussi matériellement l'activité principale de son fabricant — a émigré au sud du Rio Grande. Là-bas, au Mexique, au Vénézuela, au Brésil, les producteurs locaux se l'approprieront, en bouleverseront les règles dans les années soixante-dix. Ce sera la naissance de la *telenovela*. Ce faisant, les pays latino-américains ont gagné un nouveau public, celui du *prime time* ou heures de grande écoute [38]. Ce que n'a jamais réussi la production de Procter & Gamble qui continue à égrener ses épisodes de fictions commencées il y a plus de quarante ans, tous les après-midi de la semaine sur les grands *networks* américains.

La fourniture gracieuse

Ce qui, en revanche, est réellement nouveau, c'est la généralisation de nouvelles modalités d'association aux programmes. En dernier ressort, de nouvelles façons de générer les flux financiers nécessaires au fonctionnement des chaînes. Au premier chef : le *barter* ou *bartering*, à savoir le système de troc.

Pratiqué depuis longtemps sur le marché américain de la « syndication », marché des programmes de seconde main, le système *barter* consiste en un échange de programmes contre de l'espace publicitaire. Des chaînes locales reçoivent, sans rien débourser, des heures de programmes dans lesquels un distributeur a préalablement inséré des spots qu'il a négociés avec des annonceurs. Les cas de figure sont innombrables, le troc étant applicable à toutes les tranches de la programmation : fictions, programmes culturels, variétés, sports, etc. Pour l'agence de publicité, l'annonceur ou la centrale d'achat, il y a au moins cinq moyens de s'associer à ce type de montage de distribution et/ou production de programmes de télévision.

• *Produire et distribuer.* C'est ce que fait Procter & Gamble, l'inventeur du *barter* dans les années trente. Moyennant la cession gratuite de ses vieux *soap operas* contre du temps de publicité pour ses produits, il a réussi ainsi à faire franchir l'Atlantique à ses interminables mélodrames de l'Amérique profonde réservés jusqu'alors au public féminin des États-Unis. Le premier importateur en fut M. Berlusconi en 1981. Suivra quelques années après TF1 qui transmettra ainsi *Haine et Passions* (en anglais, *Guiding Light*).

Le secteur le plus florissant du *barter* est quand même celui des programmes sportifs clés en mains. Ils sont monopolisés par un nombre réduit de firmes qui tout à la fois chassent le sponsor, négocient les droits de transmission des événements sportifs, gèrent la carrière des joueurs et produisent des programmes sur ces compétitions dans lesquels elles insèrent les annonces de leurs clients. La plus grande est américaine : IMG, propriété du groupe Mark Mc Cormack et sa division de télévision Transworld International. Mais il y a aussi l'association Dentsu-Adidas, le fabricant d'équipements sportifs.

Le succès du sponsoring et du *barter* en matière de sport est un indice, parmi d'autres, qui montre à quel point la relation triangulaire sport/télévision/publicité est devenue névralgique.

• *La cession de formules.* Le producteur d'un programme cède les droits d'utilisation, toujours contre du temps d'antenne pour ses spots. C'est ainsi que se sont installées en Espagne, en Italie, en France et dans bien d'autres pays des formules de jeux ou de shows comme *Jeopardy, La Roue de la fortune* (propriété d'Unilever) ou *Le Juste Prix.* Le producteur de *La Roue de la fortune* qui n'est autre que Lintas offre à chaque pays des versions qui laissent une certaine marge de manœuvre par rapport à la matrice américaine.

• *La distribution des programmes des autres.* On achète un film ou une série, on y insère les spots de ses clients et on distribue le tout soi-même. C'est ce que pratique Havas Média International en direction du marché africain. La firme française a ainsi livré gratuitement à six télévisions africaines francophones des séries comme *Dynasty*, truffées préalablement de spots de cinq grands annonceurs internationaux habitués à travailler avec elle. L'annonceur y trouve un double intérêt : des rabais lui sont consentis pour ces achats groupés sur plusieurs pays ; ses spots échappent aux longs tunnels publicitaires de ces télévisions où les écrans sont regroupés en deux blocs de plus de dix minutes. Le téléspectateur africain, quant à lui, a le plus souvent droit à des annonces pour lesquelles la consigne de l'adaptation aux conditions locales est un vain mot.

• *L'acquisition de temps d'antenne.* On achète du temps sur un satellite de diffusion par exemple ; on le meuble avec son propre « package » — programmes et publicité compris — et on le transmet gratuitement.

• *Le montage d'une production.* On démarche les annonceurs et on les associe dès les premiers pas au projet. Argument majeur utilisé par les nouveaux producteurs et coproducteurs en quête de partenariat : un spot glissé dans un programme de qualité subit moins de déperdition que dans une émission bas de gamme.

La publi-télévision

Saturation, saute-chaîne, réglementation des usages de l'espace, toutes ces pressions ont motivé les acteurs du processus publicitaire à chercher de nouvelles formes d'apparition de leurs produits et marques à l'écran.

On connaît depuis longtemps l'ingéniosité déployée par les agences pour trouver la parade aux limites sévères imposées aux marques de cigarettes. Faute de pouvoir montrer du tabac, elles ont exhibé des boîtes d'allumettes et des briquets ressemblant à s'y méprendre aux étuis de cigarettes. Bridés par ce qu'ils vivent comme des restrictions, les publicitaires et leurs clients ont mis les bouchées doubles dans la recherche de ce qu'ils dénomment des « univers associés offrant de nouvelles signatures de marque ». Et ce, dans tous les secteurs. A chaque nouvelle réglementation, l'industrie publicitaire a tenté de détourner ou de contourner les interdits.

Dans ces parties de cache-cache, les diverses législations nationales sont plus ou moins laxistes. Dans certains pays, la permissivité est telle que l'apparition des marques et produits dans les séries de fiction est même un élément essentiel du montage financier de la production. C'est le cas de l'industrie télévisuelle brésilienne et de ses *telenovelas* où tout est susceptible de se convertir en vecteur d'un produit ou d'une marque. Cette pratique a son nom (le *merchandising*) et ses bénéficiaires (en dehors de la chaîne, ceux qui participent au tournage de l'épisode), ses adeptes-annonceurs qui préfèrent débourser plus que pour un spot parce que, espèrent-ils, ces expositions déguisées sont plus efficaces vu leur caractère naturel. Une entreprise spécialisée étudie d'ailleurs la meilleure façon d'insérer ce message dans le flot narratif.

La déréglementation des lois sur la publicité a apporté, dans les années quatre-vingt, son lot de nouveautés. Trois exemples choisis parmi la multitude d'autres qui montrent que, lorsqu'il s'agit de repousser les frontières de la marchandise, ce qui manque le moins est l'imagination.

• *Les nouvelles synergies télévision/industrie du jouet.* Le théâtre en a été les États-Unis où l'abolition des règles sur le cloisonnement programmes/publicité pour les enfants a incité les fabricants de jouets à transformer leur produit en héros de programmes. Il ne s'agit plus de lancer un jouet comme produit dérivé classique (produit dit ancillaire) d'une série ou d'un film, mais de construire autour du jouet — que la firme lancera ou vient de lancer sur le marché — une stratégie de marketing passant par un programme. Au lieu de dix ou trente secondes de spots, le jouet aura tout le temps de parader une demi-heure.

Cette synergie est, d'ailleurs, stimulée par les avancées des systèmes opto-électroniques qui permettent de coupler programme et jouet et de proposer des séries dites interactives. Grâce à un signal émis à partir de la télévision, le jouet s'active.

Publi-information

• *Publi-information, publi-reportage, publi-scope, publi-spécial* (en anglais, *advertorials*) : pages de publicité composées de textes sous forme rédactionnelle. Ces textes financés par un annonceur et élaborés sous son contrôle direct sont rédigés ou conçus entièrement (maquette, choix des photos et illustrations, etc.) par des agences spécialisées qui réalisent le publi- clés en mains, par des pigistes ou par les journalistes de la rédaction d'un journal ou d'un magazine. La recherche de la plus grande ressemblance entre publicité rédactionnelle et enquêtes journalistiques rend ce genre profondément ambigu. D'autant que toutes les publications ne sont pas aussi scrupuleuses pour prévenir la possibilité de la confusion entre les deux.

• La pratique du publi- a débuté dans les magazines féminins et a gagné progressivement l'ensemble de la presse, plus particulièrement les périodiques. Le nombre des publi- a sensiblement augmenté dans les années quatre-vingt. Ainsi le nombre de pages de ce type d'information est-il passé de 58 à 130 dans *Marie-Claire* entre 1984 et 1988, de 49 à 150 dans *Cosmopolitan*. En 1988, l'édition française de *Elle* comportait 233 pages de publi-, soit une croissance de 47 % par rapport à l'année précédente, sur une pagination publicitaire de 3 353 pages. En tête des secteurs couverts : la beauté suivie de l'alimentaire. Essor également des publi-dossiers dans les *news magazines* et les hebdomadaires économiques qui réalisent — soit avec leur rédaction, soit en collaboration avec une agence *ad hoc* — des cahiers sur les assurances, les transports, etc., commandés par une entreprise ou un groupe d'entreprises, ou bien sur une région, une ville ou un pays à la demande de ses responsables.

• Une règle de la profession interdit, en principe, à tout journaliste de participer à une opération publicitaire ou commerciale. En 1988, la Ligue française des droits de l'homme a manifesté son inquiétude face à la multiplication des formes de publi-rédaction et autres sponsorisations de l'information et a clairement dénoncé leur impact sur le métier de journaliste. En 1986, l'Association des journalistes économiques et financiers a rappelé à ses membres une vieille règle : « Ne pas travailler pour des émissions de type publicitaire. »

Bibliographie

Savary J., « Le publi-rédactionnel : se cacher pour mieux se montrer est un art », *Presse-Actualité*, avril 1985.

Leroy E., Chambord de A., « Publi-reportages : le journalisme en trompe-l'œil », *Médias Pouvoirs*, janvier-mars 1989.

• *Le « publionnaire, le jeu qui fait aimer la pub »*. Deux ou trois secondes d'une publicité mystère passent sur l'écran, aux téléspectateurs de trouver la marque qui se cache derrière le spot. Proposé par la régie de RTL-Belgique (IPB, filiale d'Havas), le jeu passait en 1989 tous les jours du lundi au vendredi à raison de cinq fois par jour. Il faut reconnaître les cinq spots pour concourir au « publionnaire » ; les bulletins de participation se découpent dans un magazine de télévision et l'émission-tirage au sort des gagnants a lieu le samedi où l'annonceur a droit à une diffusion intégrale de son spot. Aux annonceurs, il est demandé un tiers de plus que pour un passage ordinaire. Le succès de la formule était tel que IPB a créé une nouvelle société, Games Advertising, pour l'internationaliser et en découvrir d'autres. Devise de la firme : « Conjuguer spectacle et dialogue. »

• Autre cas de figure d'une liste jamais close : celui du nouveau service Global Link, créé en 1989 par l'agence mondiale de presse télévisée WTN. L'agence américaine distribue par satellite à tous les affiliés du network ABC, juste avant et après les journaux nationaux, des séquences d'informations (des vidéo-communiqués) entièrement financées et produites par des entreprises. Cette nouvelle modalité de la présence des entreprises sur le petit écran — qui a déclenché un débat déontologique autour des dérivés du publi-reportage — ne peut s'expliquer sans le saut qualitatif qu'est en train d'effectuer la stratégie de la communication d'entreprise. Nous y arrivons.

V / La société de communication

1. Un mode de gestion

De la publicité à la communication

En décembre 1988, l'Association des agences conseils en publicité (AACP) s'est métamorphosée en Association des agences conseils en communication (AACC). Une opération de chirurgie esthétique loin d'être innocente et que n'ont pas encore osé commettre les associations correspondantes dans les pays anglo-saxons. En rebaptisant leur organisme de représentation professionnelle, les publicitaires français n'ont cependant fait qu'entériner un glissement sémantique passé dans les us et coutumes depuis quelques années déjà.

En s'appropriant le vocable « communication », l'industrie publicitaire signale l'élasticité de son nouveau champ professionnel. La publicité n'est en effet plus ce qu'elle était. Le passage d'un terme à l'autre intronise un concept fédérateur d'un ensemble disparate de pratiques et d'outils que n'arrivent plus à couvrir les vieilles partitions « médias »/« hors médias », *above the line/below the line*. Du même coup, l'industrie publicitaire se découpe un territoire à la dimension de la société tout entière. La publicité y gagne ses galons de technologie de la gestion sociale. La communication comme mode d'organiser les rapports entre les hommes. Partout où ceux-ci « communiquent » entre eux, ses professionnels ont leur mot à dire et leur expertise à appliquer.

L'accent mis sur ladite « société des loisirs » — sur laquelle on a coutume de rabattre ladite « société de communication » — ainsi que le poids médiatique des débats sur l'avenir de l'industrie du divertissement empêchent souvent de voir que la « révolution de la communication » se passe aussi ailleurs. C'est-à-dire hors du « temps libre ».

Or en dépit de la réduction du temps de travail, les hommes et les femmes-habitants de la société de communication continuent à aller chaque jour à l'usine, au bureau, à se retrouver dans les organisations sociales les plus diverses et à être sujets-usagers des administrations. C'est précisément là qu'ils ont l'occasion d'être confrontés au quotidien de la « communication » et à ses modèles de rapports sociaux.

La création de la mentalité post-taylorienne

Les formes d'organisation du travail dans l'entreprise ont changé. Le modèle de société et d'entreprise décrit par l'historien Stuart Ewen (voir chapitre VI) dans l'Amérique taylorienne des années vingt s'estompe, tout au moins sur les territoires et dans les unités d'avant-garde de l'économie mondiale. Le schéma productiviste d'organisation pyramidale représenté par l'entreprise taylorienne a vécu. Et, avec lui, son système hiérarchique et le cloisonnement entre les différents services et fonctions.

L'entreprise taylorienne était « balkanisée », divisée entre un « haut » et un « bas » et était allergique à la circulation de l'information. La nouvelle entreprise sera — nous disent les sociologues de l'organisation — celle des flux d'information et de communication ou ne sera pas. Sa définition du pouvoir sera horizontale et rompra avec la logique verticale des affrontements entre acteurs sociaux. Les stratégies de négociation doivent rendre productives les contradictions. Nécessité fait loi : un des défis majeurs de l'entreprise n'est ni plus ni moins l'appropriation des savoirs et savoir-faire de ceux qui y travaillent.

C'est dans ce contexte que s'est formé le concept de « communication d'entreprise » qui n'est lui-même compréhensible que si on l'accompagne de deux autres : identité et culture de l'entreprise. Concepts que leurs théoriciens ont l'habitude de définir par analogie au fonctionnement des organismes vivants. L'identité d'une entreprise — expliquent-ils — est la configuration unique que prennent ses structures, ses systèmes, ses représentations et les rapports que ces éléments établissent entre eux. Les structures, c'est l'anatomie, c'est-à-dire sa taille, son organisation, son implantation, ses effectifs, ses outils de production et de commercialisation. Les systèmes, ce sont les systèmes cardio-vasculaire, respiratoire, digestif et nerveux, à savoir son système de gestion, de production, de commandement, de rémunération, de relations humaines. Les représentations, c'est la conscience de son existence, un idéal de soi, une perception de l'existence de l'autre, c'est-à-dire l'ensemble des images mentales internes et/ou externes associées à l'entreprise. La culture d'entreprise est la base nécessaire à la mise au point d'un langage commun et d'une politique de communication. Bref, ce qui permet à chaque membre de cette entreprise de se reconnaître comme appartenant à une entité, différente des autres et ayant ses propres valeurs [39].

Le principe de base : pas moyen d'intervenir dans un secteur sans avoir une vision globale de l'organisation, du tout et des parties. C'est la philosophie qui orientait le projet avorté de diversification du groupe Saatchi & Saatchi dans le domaine du « conseil de direction ». Mettre à la disposition des entreprises tous les outils de communication dont elles ont besoin pour se gérer. C'est ce que le réseau britannique appelait la « communication holiste », c'est-à-dire totalisante. C'est ce que des spécialistes français de la communication d'entreprise dénomme la communication *corporate*, annexant le terme américain que d'aucuns traduisent par « institutionnelle ».

Dans cette vision cybernétique de l'organisation, la communication devient outil de management et ne peut, par définition, se concevoir que comme un tout intégré. En dernier ressort, ce qu'on demande à la « communication *corporate* », c'est de gérer le capital-image de l'entreprise et de le faire fructifier à l'intérieur comme à l'extérieur. C'est le moment clé où la publicité et ses professionnels se dissolvent pour mieux renaître. Gérer le capital-image, c'est réussir à articuler ses quatre composantes : l'image financière, l'image interne, l'image de marque et l'image civique. La « communication » confère une unité à ce qui, hier encore, était éclaté entre départements et fonctions cloisonnés. Elle offre un schéma directeur pour se débarrasser des canards boiteux de l'information à sens unique du type taylorien. Publicité-produit, relations publiques, *lobbying*, relations presse, sponsoring, mécénat, communication financière, communication interne, etc., doivent répondre à un même chef d'orchestre.

En l’occurrence, dans l’entreprise même, surtout dans les plus grandes, ce sera la « direction de la communication » et un « comité de l’image » rattachés aux instances de décision ; à l’extérieur, ce seront les nombreux prestataires de services qui ont surgi dans les années quatre-vingt et offrent aux entreprises leur conseil *corporate*.

Le nouveau portefeuille de services

Tout est allé très vite. En à peine dix ans, le vocabulaire publicitaire s’est enrichi de plus de rubriques qu’il ne l’avait fait depuis sa naissance. *Prestige* ou *institutional advertising, advocacy* ou *issue advertising*, c’est-à-dire publicité-plaidoyer sur des sujets de controverse, *crisis advertising, lobbying, financial advertising* et tant d’autres qui ont fait éclater littéralement la vieille notion de « relations publiques ». A chaque fois, lorsqu’ils traverseront l’Atlantique, la plupart d’entre eux troqueront l’expression *advertising* par celle de « communication ». Ils sont tous des réponses directes aux nouveaux défis lancés à l’entreprise par l’environnement économique, politique, culturel et écologique.

La plupart ont vu le jour aux États-Unis dès la fin des années soixante-dix. C’est-à-dire les années où se déclenchent les premiers effets des processus de déréglementation du système bancaire, des transports et des télécommunications. Années des premières grandes OPA. Mais aussi période où l’entreprise privée doit faire face à l’inquiétude de ses actionnaires et de ses employés, aux pressions renouvelées du mouvement des consommateurs, aux dénonciations des réseaux d’organisations non gouvernementales contre les stratégies de marketing de l’industrie agro-alimentaire et pharmaceutique. Période également où les sociétés transnationales sont sommées par les organisations de la communauté des nations de souscrire aux codes de déontologie et de s’y soumettre dans leurs activités.

La communication-publicité-relations publiques viendra à la rescousse de l’entreprise pour :
— orchestrer les campagnes préparatoires aux OPA ou, au besoin, déployer les parapluies anti-OPA hostiles ;
— résoudre les conflits susceptibles de se présenter dans l’entreprise suite à une OPA, une fusion, une restructuration, une diversification ;
— aider l’entreprise en « situation de crise » (déficits

d'exploitation, conflits sociaux, catastrophe écologique, produits défectueux mis sur le marché, sabotages, enlèvements, et demande de rançon, etc.);
— gérer les relations de plus en plus problématiques avec les actionnaires actuels (et potentiels) en revoyant, par exemple, la conception du rapport d'activités annuel de la firme ou les comptes rendus sur son état financier.

Toutes ces nouvelles offres de services de communication ont signifié l'entrée de l'entreprise sur le terrain politico-stratégique. Cette nouvelle dimension de l'entreprise comme acteur à part entière de la société était encore loin d'être évidente à la fin des années soixante-dix. Faut-il rappeler que lorsque commencèrent à se multiplier, vers 1975, les prises de position publiques des grandes sociétés aux États-Unis face aux problèmes sociaux et politiques (à travers l'*advocacy/issue advertising*), nombreux furent les représentants législatifs qui invoquèrent les nombreuses lois fédérales en vigueur selon lesquelles l'argent des entreprises ne pouvait être dépensé que pour des questions *(issues)* en relation directe avec leur *business*. En 1978, la Cour suprême rendait un arrêt historique qui étendait les frontières du premier amendement en reconnaissant pour la première fois explicitement aux entreprises américaines le droit constitutionnel de parler sur des questions publiques à travers des annonces.

C'est dire le pas gigantesque franchi depuis ces années-là. Comme en témoigne par exemple la nouvelle légitimité acquise par la profession de *lobbyiste*, comme autre spécialité de l'industrie du conseil en communication. Service décisif qui peut consister aussi bien à redresser l'image passablement détériorée d'une société ou d'un gouvernement auprès de milieux d'influence qu'à dessiner une stratégie globale d'approche des divers protagonistes et antagonistes pour emporter une décision favorable à une entreprise ou un groupe auprès d'un organisme international.

Toutes offres de services dont la majorité n'arrivera en Europe que dans la seconde moitié des années quatre-vingt.

Malgré son apparition récente, ce catalogue d'expertises a déjà eu maintes occasions de se heurter aux réalités non consensuelles dans l'entreprise et au scepticisme des citoyens à l'extérieur. La boîte à outils orthopédiques de la communication-gestion-management paraît en effet bien dérisoire lorsqu'il s'agit de corriger l'image négative d'une firme suite à la contamination d'un fleuve par ses produits toxiques ou lorsque la direction — car cet échelon existe toujours ! — doit contrer un mouvement de grève résolu à aller jusqu'au bout de ses revendications. Car les conflits sociaux du « premier type » sont toujours au cœur du rapport capital/travail.

Opinion d'un consultant iconoclaste sur la nouvelle ingénierie sociale de l'organisation du travail et de gestion des ressources humaines : « Les managers poursuivent des buts très simples : obtenir un plus grand zèle au travail sans augmenter la rémunération ; éliminer une génération de salariés vieillissants sans altérer la confiance des jeunes en l'avenir ; empêcher toute activité syndicale efficace en respectant à la lettre les principes de notre Constitution. Les tours de main qui permettent de réaliser ces diverses tâches ne sont que très partiellement consignés dans des traités savants. Ces choses ne pourraient s'enseigner à l'école sans réduire dangereusement l'espace laissé libre pour l'hypocrisie [40,41]. »

La communication événementielle

Mécénat/sponsoring, ces deux figures particulières de la communication d'entreprise sont des hauts lieux de ce que les publicitaires appellent la « communication événementielle », à savoir celle qui crée ou utilise un événement. Connus aussi sous le nom respectif de patronage/parrainage, l'un et l'autre se sont tellement diversifiés que la ligne de partage est parfois difficile à retrouver [42, 43].

En parrainant ou en apportant son patronage, l'entreprise escompte améliorer son image, développer sa notoriété publique en associant son nom à un organisme ou à un événement, améliorer les relations au sein de l'entreprise, renforcer chez les salariés le sentiment d'appartenance au groupe, développer sa participation à la vie de la communauté. Mais aussi, multiplier des contacts qui éventuellement seront réinvestis dans la politique de communication de ses produits.

C'est dans la seconde moitié des années soixante-dix que le mécénat a commencé à se structurer sous sa forme moderne dans certains pays de la Communauté européenne. Le pionnier : la Grande-Bretagne qui, s'inspirant du modèle du sponsoring sportif, crée en 1976 l'ABSA (Association for Business Sponsorship of the Arts). Fin 1979, la France s'inspirait de l'initiative britannique et fondait l'Admical (Association pour le développement du mécénat industriel et commercial). Depuis lors, nombre de pays ont fait de même avec plus ou moins de succès. Dans chaque cas, il s'agit de clubs d'entreprises pilotes en matière de mécénat culturel, désireuses de partager leur expérience, de la diffuser ainsi que d'agir sur l'opinion et les pouvoirs publics. Le slogan des premières assises françaises du mécénat : « le civisme de l'entreprise ».

Rappelons le cadre général du débat dans lequel a fleuri ce genre d'initiatives. Réduction ou stagnation du financement public, crise d'une certaine idée de la politique culturelle, gérée tout entière à partir de l'État-providence. En toile de fond, des griefs à l'encontre du financement public de la culture proches de ceux mis en avant par les projets de refonte des services publics audiovisuels (partis pris politiques, rigidités et raideurs administratives) auxquels s'ajoutera le reproche de soutenir des projets s'adressant à l'élite cultivée. En contrepoint, les avantages d'un argent privé disponible plus rapidement et une gestion financière performante.

Dix ans après la création de ces clubs, si l'État français renonçait à son rôle régalien en matière de culture et de conservation du patrimoine, 97 à 98 % des activités dites culturelles s'arrêteraient. La même chose dans l'Angleterre néolibérale où la proportion atteindrait 95 %.

On a les procédures d'aide privée à la culture que le système industriel et politique autorise. Danseuse de l'entreprise privée dans les uns, l'apport privé remplit dans les autres un rôle tantôt central, tantôt de suppléance par rapport à l'exécutif au gré des variations des politiques d'État en matière de culture. En 1988, la contribution patronale aux activités culturelles en Espagne équivalait à près de la moitié du budget du ministère de la Culture. Si la France et la Grande-Bretagne n'ont que peu de fondations culturelles privées, celles-ci sont florissantes dans la péninsule Ibérique, en Italie et en République fédérale d'Allemagne qui, aux grandes fondations des entreprises Volkswagen, Thyssen, Bosch, les cigarettes Reemtsma, etc., ajoute celles de ses deux grands partis.

Le cas des États-Unis est un cas d'école. En 1987, on dénombrait non moins de 25 600 fondations. Leur force de frappe financière : un capital global de 103 milliards de dollars. Ce qui leur permettait de distribuer chaque année 6 milliards. En 1940, il n'existait que 314 fondations. En tête, la fondation Ford, du nom du constructeur automobile, qui, avec un capital de 4,8 milliards de dollars, a distribué en 1987 182 millions. Si elle veut profiter de la déduction des impôts, la fondation américaine doit chaque année redistribuer l'équivalent de 5 % de son capital qui est placé en Bourse ou dans d'autres investissements immobiliers.

Mais l'idée de « responsabilité sociale » ou de « civisme » de l'entreprise a, là-bas aussi, ses limites que la crise et les idéologies connaissent. Malgré les 182 millions de dollars distribués en 1987, la fondation Ford a le profil bas par rapport aux *sixties*. En 1973, elle distribuait 224 millions de dollars. Ajustée en dollars de 1987, cette somme représente plus du double des contributions de cette année. C'était l'époque où cette fondation finançait généreusement les expériences de production de programmes pour enfants pour contrer la logique commerciale des grands *networks*. Entre-temps, la gestion financière des fondations s'est rationalisée. Le profil des équipes dirigeantes a changé. La fondation est devenue un lieu de placement performant. En 1986, les 800 premières fondations, qui pèsent 58 milliards de dollars en capitaux, ont gagné 8 milliards de dollars, c'est-à-dire l'équivalent de 14 % de leurs avoirs. Une proportion qui représente presque le triple de ce qu'elles doivent redistribuer [44].

Aux États-Unis comme ailleurs, un sponsoring commercial de plus en plus envahissant a cloué au sol les vieilles formes de la philanthropie et du mécénat culturel. La fondation-providence n'est pas pour demain.

L'identité visuelle

L'entreprise ne vit pas que de crise et d'événements qu'elle utilise ou qu'elle fomente. Elle vit surtout de ses produits. Sa communication ne se limite pas au jeu des acteurs de la communication. D'autres messages sont émis par elle chaque jour, qui contribuent à construire l'image de l'entreprise ou de ses marques. C'est un autre des changements fondamentaux des années quatre-vingt que d'avoir découvert que le produit lui-même recelait de nombreuses dimensions communicantes : design, logotype, symbole, *packaging*, habillage, architecture des points de vente, flotte de véhicules, etc. Tout ce qui constitue une identité visuelle. Là aussi, un tout indissociable.

Depuis longtemps, l'esthétique industrielle a acquis ses lettres de noblesse. Que l'on pense à la coquille de la Shell

International, au logotype de Total, de Viandox, de Singer, de New Man ou encore à la bouteille de Coca-Cola, tous sortis de l'atelier de l'ingénieur parisien naturalisé américain Raymond Loewy, star du design, à l'origine de la forme en industrie [45].

D'aucuns prédisent que c'est là que se jouera le sort de nombreuses industries dans le troisième millénaire et que s'exprimeront avec toute leur force les différences entre les cultures dans la conquête des marchés. Deux choses en tout cas sont déjà sûres. La première, c'est que le design et le packaging, entre autres, sont dopés par la surenchère visuelle à laquelle obligent le renouvellement accéléré de la stimulation de vente et l'internationalisation accrue de l'habillage des produits. La seconde étant l'intérêt croissant de certains réseaux publicitaires pour se diversifier ou conforter leur présence dans ces activités. Sait-on, par exemple, que dans le domaine du design les firmes britanniques sont celles qui pèsent le plus lourd en Europe et que le second designer londonien n'est autre que J. Walter Thompson ? Le numéro un mondial est américain (Landor) et il dispose de vingt bureaux et de centaines de designers sur les cinq continents. Mais à la bourse des alliances et des partenariats transnationaux, les négociations — contrairement à ce qui se passe dans d'autres secteurs — n'en sont encore qu'au stade exploratoire.

La communication d'utilité publique

En sortant de leur ghetto, l'entreprise et ses valeurs ont imprégné l'ensemble de la société.

Le logo a remplacé l'écusson de la ville et la poubelle fait désormais partie de la nouvelle ligne de produits à dimension communicante du mobilier urbain au même titre que l'abri-bus et les panneaux d'affichage électronique. Dans certains pays, le ravalement de la signalétique des rues est patronné (ou parrainé) par les grandes sociétés commerciales et industrielles qui, en échange, ont le droit à une mention sur les nouvelles plaques.

Les stratégies intégrées de communication font florès dans les collectivités locales. Les services internes de communication se sont multipliés dans les communes et les professionnels de la publicité et de la création d'événements sont de plus en plus sollicités par des élus désireux de secouer la grisaille de la tradition. De petites agences sont nées ou des départements ont été créés dans les grandes qui proposent leurs services spécialisés pour contribuer à la notoriété de l'« image d'utilité publique ».

Le phénomène est encore plus frappant dans les sociétés soumises longtemps à l'État-tutélaire et qui ont arraché depuis peu l'autonomie politique et budgétaire des institutions décentralisées. Décentralisation et retrait de l'État-providence ont précipité les collectivités locales à la rencontre de la « démarche entrepreneuriale ». Non seulement dans la façon de gérer la commune mais aussi dans celle d'assumer leur nouveau rôle de promoteur du développement économique local.

Les stratégies de communication ont pour objectif non seulement de faire entendre la voix des élus sur leurs projets et leurs réalisations, mais de créer un sentiment d'appartenance à une collectivité. Vers l'extérieur, il s'agit surtout de positionner la ville (car c'est surtout à cet échelon que cela se passe) à tous les niveaux — du local à l'international. *A fortiori* dans un contexte où la concurrence est âpre lorsqu'il est question d'attirer les touristes et d'inciter les entreprises à venir s'installer dans la nouvelle zone industrielle ou les technopoles régionales. Logo, slogan, plaquette, clips, lettre d'information, bulletin municipal, expositions, affiches thématiques, création d'événements (foires, manifestations culturelles et sportives) font partie des outils de communication qui doivent conforter l'image du maire et de son équipe, faire « gagner » la ville et, espère-t-on, mobiliser les énergies et l'enthousiasme de ses habitants [46].

Les grandes causes nationales

L'État central a précédé les collectivités locales dans l'appropriation des techniques propres aux entreprises. C'est, en effet, d'abord dans la foulée des nouvelles demandes formulées par les administrations que les agences de publicité ont imaginé les nouvelles niches « communication institutionnelle », « communication d'intérêt général », « communication sociale » et « communication publique ». Si cet appel de la part de l'État aux agences de publicité pour sensibiliser le grand public à sa politique ou aux grandes causes nationales ne remonte en France qu'à la fin des années soixante-dix, en revanche, cette pratique aligne une longue tradition dans d'autres pays comme le Canada ou la Grande-Bretagne [47].

Fin des années quatre-vingt, l'État-annonceur était devenu la norme. Gouvernements socialistes ou néo-libéraux, État fédéral ou État jacobin, États du Nord comme du Sud recourent dorénavant aux techniques et aux professionnels de la publicité pour s'adresser aux citoyens. En Grande-Bretagne, en Espagne, au Mexique, au Vénézuela, aux Pays-Bas, au Canada, les dépenses de la puissance publique rivalisent avantageusement avec les budgets des Procter & Gamble et Unilever.

La France n'échappe pas à la règle : en 1988, le gouvernement a financé 34 campagnes de publicité ou de relations publiques qui ont coûté 244 millions de francs, soit largement plus du double de celui de 1980. Encore faut-il préciser que la publicité gouvernementale jouit généralement d'abattements de tarifs pouvant atteindre parfois à la télévision 35 %. La communication appelant la communication, c'est la campagne pour France-Télécom (« Bougez avec la poste ») qui a englouti la plus grande part des dépenses (plus d'un cinquième avec ses 59 millions). Le bilan de l'action gouvernementale et le référendum sur la Nouvelle-Calédonie ont pris la deuxième et troisième place avec 22,9 et 20,3 millions de francs. Parents pauvres : les campagnes pour le recrutement des professeurs ou sur l'usage du préservatif (pas plus de 5,5 millions chacune). Bénéficiaires : des agences indépendantes des groupes et des réseaux (Dyade, Dassas, Quadrillage, etc.) et les grands (Eurocom, Publicis, RSCG). A elle seule, l'agence de M. Séguela a emporté quatre budgets (bilan de l'action gouvernementale, recrutement de professeurs, accidents domestiques, référendum), soit près de 20 % des sommes mises en appel d'offres. Aucun réseau étranger selon une tradition que ne suivent que quelques pays, les autres arrosant de leurs budgets publics indistinctement nationaux et transnationaux.

L'espace public clés en mains ?

La montée en puissance des stratégies publicitaires au sein de l'État comme des collectivités locales ne signale pas seulement la formation d'un marché professionnel. Elle pose des questions autrement plus graves sur l'évolution de nos systèmes démocratiques.

Réseaux transnationaux et marketing électoral

Les grandes agences ne s'introduisent sur le terrain de la communication politique que sur la pointe des pieds. Toutes — et surtout celles de stature internationale — sont loin, en effet, de professer la doctrine qui a permis aux frères Saatchi de conjuguer pendant plus d'une décennie la cote de popularité de leur cliente, Mrs. Thatcher, et leur indice sur les grandes places boursières. La rupture avec le parti des *tories* en octobre 1987 en dit long sur les écueils multiples que comporte cette alliance avec les formes de la politique partisane.

Son rival direct sur le marché londonien J. Walter Thompson n'a jamais caché ses réserves. Dans le rapport annuel de sa filiale britannique pour l'exercice 1986-1987, on lit : « La publicité pour les partis politiques est devenue un élément du processus démocratique. Et ce, même si certaines agences — dont J. Walter Thompson — maintiennent une politique de refus à l'égard de ces budgets... Beaucoup se méfient de l'influence grandissante de la publicité dans les questions politiques et il y a de fortes chances pour que les règlements régissant cette connexion soient étendus. »

Vertu par volonté ou par impuissance ? Toujours est-il que ce code de conduite dans l'île de Sa Majesté a volé en éclats dans le Chili du début des années soixante-dix. La filiale chilienne du réseau américain y dessina la campagne du candidat de la droite Jorge Alessandri.

Il n'empêche que la question des campagnes électorales pose problème à beaucoup de réseaux transnationaux. Code implicite, l'abstention est parfois réaffirmée publiquement pour éviter tout malentendu. Ainsi lorsque après plus de quarante années de franquisme, l'Espagne retourna aux urnes, les filiales des grandes agences américaines firent-elles savoir qu'elles se tiendraient à l'écart des batailles partisanes. « Nous nous maintiendrons en dehors de tout cela, déclarait le responsable de Young & Rubicam. Pour des raisons évidentes. C'est un travail pour les agences espagnoles. »

Et pourtant il fut un temps dans les années soixante et la première moitié des années soixante-dix où la réponse n'était pas si claire. A cette époque, des conseillers itinérants en communication électorale venus des États-Unis sillonnèrent le monde en prodiguant leurs conseils aux candidats les plus divers, mettant à profit leur manque d'expertise dans les campagnes modernes. Le plus célèbre de ces nomades fut Joseph Napolitan et sa firme homonyme de Springfield dans le Massachusetts. Mais il y en eut beaucoup d'autres. Après avoir secondé J. Kennedy et L. Johnson, Napolitan offrit en 1974 ses services au candidat Valéry Giscard d'Estaing après avoir organisé en 1973 la campagne du futur président social-démocrate du Vénézuela, Carlos Andrès Perez.

Conseillers des trois candidats à la présidence de la République française en 1988 : celui de François Mitterrand venait de RSCG, celui de Jacques Chirac d'Eurocom, celui de Raymond Barre de BBDO. Cette même année, RSCG a pris des parts dans l'agence américaine MVBCS qui a notamment à son actif la campagne télévisée du candidat à la présidence des États-Unis, George Bush. En 1989, le concepteur du slogan de « la force tranquille » a été appelé en consultation discrètement à Varsovie par les responsables de Solidarité, plus bruyamment à Santiago du Chili par un secteur de l'opposition au général Pinochet. Pour le réseau international de RSCG, l'année s'est terminée sur un contrat important : organiser la campagne électorale du parti social-démocrate de l'Allemagne fédérale en 1990.

Les vieux connaisseurs des acteurs locaux en ont eu l'intuition. Tel le directeur de la revue *Territoires*, dans une livraison sur « la communication publicitaire des communes » qui écrit : « Les agences abordent avec difficulté ces nouveaux clients pour lesquels il serait si simple d'offrir clés en mains une campagne de produit commercial. Ces difficiles relations expliquent les dérives de certaines politiques de communication municipales. Or les risques, en regard de la démocratie locale, sont évidents. N'y a-t-il pas, par un recours aveugle aux professionnels, une annihilation du rôle politique de l'élu qui se décharge ainsi de la conception du message ? Ne va-t-on pas vers un discours politique simplifié, uniformisé, calqué sur des "attentes" soi-disant apparues dans les enquêtes et sondages ?... [La question est de] faire bouger la communication des collectivités locales, loin des travers du marketing publicitaire. » Et un maire de conclure : « Le contraire du marketing, c'est de communiquer pour faire participer les citoyens [48]. ».

Longtemps, la question du rapport publicité-démocratie a été confinée dans le périmètre des stratégies du marketing électoral. Sans perdre de son importance, cette question n'en est plus une que parmi d'autres. Le problème à l'horizon du troisième millénaire est en effet que les nouvelles pratiques du marketing socio-politique ne vivent plus seulement aux périodes chaudes des affrontements entre candidats, mais qu'elles sont devenues un élément structurant de la vie quotidienne de tout habitant de la cité [49].

2. Un mode de régulation

Les pionniers du code

La formidable expansion qu'a connue l'expertise publicitaire en moins d'une décennie et les débats qui l'ont entourée ont propulsé les organismes de défense de la profession dans l'arène politique. Ils sont désormais des interlocuteurs incontournables dans les négociations qui dessinent les paysages médiatiques. Comme on n'est jamais servi aussi bien que par soi-même, ils ont mis en pratique leur connaissance du lobbying pour sauvegarder les intérêts de leur propre corporation et faire passer leur vision du monde comme celle de tout le monde. Pour comprendre la philosophie qui sous-tend leur action, il faut remonter le temps.

C'est au début du siècle qu'a surgi aux États-Unis la première organisation de défense de la fonction publicitaire. Vers 1910, voit le jour l'Associated Advertising Clubs of America avec le propos explicite de contrer la mauvaise image du métier toujours assimilé à celui du charlatan. En 1924, l'American Association of Advertising Agencies (les 4 As) publie un premier code de déontologie de la profession. Un an après, c'est-à-dire lors de sa fondation, l'Advertising Association de Grande-Bretagne adhère au réseau des clubs américains, premier jalon d'un organisme de représentation professionnelle à caractère international. En 1905 déjà, le Canada s'était doté d'une Association nationale des agences.

On jauge davantage le rôle pionnier de ces organisations anglo-saxonnes dans la construction du professionnalisme publicitaire lorsque l'on apprend que ce n'est qu'en 1937 que la Chambre internationale du commerce a promulgué son premier code international des pratiques publicitaires. Code qui depuis lors sert de référence à l'échelon mondial et qui a subi de nombreuses révisions (en 1949, 1955, 1966 et 1973). Ses principales règles : décence, loyauté, véracité, normes de comparaison , interdiction de dénigrement, protection de la personne privée, non-utilisation du renom d'une autre entreprise, interdiction d'imiter, identification de l'annonce, protection des enfants et des adolescents, etc.

C'est donc dans le monde anglo-saxon que se sont déroulés les premiers efforts de la corporation publicitaire pour asseoir devant la société et l'État les règles de conduite de la profession. Il en fut longtemps ainsi. Comme le rappelait encore en 1977 le rapport officiel de la commission d'étude sur le rôle, la responsabilité et l'avenir de la publicité rédigé par Mme Scrivener à l'intention du ministre français de l'Économie. « La notion d'autodiscipline — écrivait le rapporteur — est encore souvent étrangère aux habitudes de pensée de l'industrie et du commerce français, où le rôle de régulation et de contrôle a été traditionnellement rempli par l'État jusqu'à un passé récent [50]. »

Le mot est lâché : autodiscipline. C'était en effet l'enjeu de ces codes de déontologie que de frayer un chemin à ce principe. Un principe que la longue tradition interventionniste de l'État jacobin a tenu sous le boisseau. L'autodiscipline — et sa sœur jumelle l'autorégulation — se présente en effet comme une alternative à une politique de contrôle régie par l'autorité publique. Toutes deux restaurent en quelque sorte une source de droit qu'est la coutume.

L'emprise des réglementations d'État ne veut évidemment pas dire que pendant toutes ces années-là, la profession n'ait pas disposé en France d'organisations de représentation *ad hoc*. Mais une chose est sûre, c'est qu'elles ont fait leur apparition beaucoup plus tard. C'est en 1953 qu'est établi l'organisme d'autodiscipline, le Bureau de vérification de la publicité (BVP). Mais vingt-quatre ans plus tard, le rapport Scrivener déplorait toujours que ses adhérents soient trop peu nombreux et, surtout, que la presse y soit insuffisamment représentée et parlait de l'urgence d'accroître sa notoriété. La date de parution de ce rapport officiel n'était d'ailleurs pas un hasard. Il clôturait, à sa façon, deux décennies où le problème de l'autodiscipline avait été dans de nombreux pays à l'avant-plan du débat politique.

L'autodiscipline

1960-1975 : point d'orgue de la contestation des organisations de consommateurs. Chez les professionnels de la publicité, se fait jour une volonté de moralisation, d'instauration de « pratiques loyales ». Améliorer la crédibilité de la publicité (et donc son efficacité) semble passer obligatoirement par une plus grande véracité des messages.

En 1962, l'Advertising Association britannique met en place un système d'autodiscipline dont la valeur exemplaire était toujours reconnue par les publicitaires du monde entier à la fin des années quatre-vingt. Elle le fait en réponse au *Consumer Protection Act*, premier texte général de lois qui définit les droits des consommateurs. En 1961, l'association avait publié son *Code of Advertising Standards and Practices*. Bras exécutif du système d'autodiscipline : un tribunal d'autosurveillance dénommé l'Advertising Standards Authority (ASA). Organisme indépendant, financé par un prélèvement de 0,1 % sur les dépenses médias (excepté la radio et la télévision) collecté par les agences pour le compte des annonceurs et reversé à l'ASA. Les deux tiers des membres de son conseil sont des personnalités indépendantes et extérieures à la publicité. Mais son aire de compétence est limitée puisqu'il ne s'occupe que de la publicité dans la presse, au cinéma et de l'affichage, la radio et la télévision relevant d'un organisme officiel créé dans les années cinquante lors de la refonte de l'audiovisuel en un système mixte (ITV et BBC).

Ce n'est qu'en 1971 que les publicitaires d'outre-Atlantique — aiguillonnés par le mouvement consumériste — mettent en place le National Advertising Review Board (NARB). Il s'agit du premier organisme professionnel national d'autodiscipline où les médias ne sont pas partie prenante. La Constitution américaine interdit pratiquement — à la différence de la Grande-Bretagne — la formation d'associations tripartites, ces ententes étant susceptibles d'entreprendre des actions pouvant porter atteinte à la liberté de commerce. Certains médias ont néanmoins leur propre système national d'autodiscipline ainsi que certaines industries qui se considèrent plus vulnérables (produits pharmaceutiques, boissons alcoolisées, notamment). Au niveau local, l'autodiscipline est assurée principalement par les antennes des « Better Business Bureaus », organisations privées existant depuis 1912 et chargées de veiller à la régularité des pratiques commerciales, dont la publicité.

Dans les années soixante, des pays aussi divers que l'Argentine, la Belgique, l'Irlande, l'Italie, les Pays-Bas, l'Afrique du Sud et la Suisse s'étaient dotés d'un dispositif d'autodiscipline. Seuls deux pays avaient adopté de telles structures avant 1960 : la République fédérale d'Allemagne (1949) et le Canada (1957). Dans les années soixante-dix, l'Australie, l'Autriche, le Brésil, le Japon, les Philippines, Singapour, la Suède et l'Espagne prendront à leur tour de pareilles dispositions. La France également [51].

En 1970, le coup d'envoi est donné avec la réorganisation du Bureau de vérification de la publicité. A côté des porte-voix des professionnels (annonceurs, agences, médias), sont désormais admis à siéger des représentants des consommateurs. En 1973, est adoptée la loi d'orientation du commerce et de l'artisanat (dite loi Royer), l'une des législations les plus rigoureuses en matière de mensonge publicitaire. Enfin, en 1977, après dix ans de discussions se met en place le Conseil national de la publicité, organisme tripartite.

Le système de surveillance des pratiques publicitaires le plus original est celui de la Suède. Ni privé ni public, il reprend la vieille tradition des *ombudsmen* parlementaires qui remonte à 1809 et dont le plus connu est celui qui veille sur le bon fonctionnement de la presse. C'est en 1971 qu'est créée la fonction d'*ombudsman* pour les consommateurs (KO) avec mission de contrôler que les lois visant à la protection du consommateur sont observées, plus particulièrement la loi sur le marketing.

Le caractère extrêmement général des codes de déontologie professionnelle ne permet pas de se faire une idée sur l'efficacité de ces systèmes d'autodiscipline à travers le monde. La seule possibilité d'y voir plus clair est de s'interroger sur leur degré d'autonomie par rapport aux intérêts de l'interprofession. Pour qu'il y ait indépendance, deux conditions sont nécessaires : le type de financement et la participation de personnes indépendantes.

Dans la plupart des pays, ce sont les contributions des firmes membres qui permettent le fonctionnement de l'instance d'autodiscipline. Le système britannique est un des rares à préserver une source indépendante de revenus, puisque à la différence de la plupart, il n'est pas financé directement par les cotisations de ses adhérents. Par ailleurs, en ce qui concerne le nombre de membres extérieurs à la profession, il fluctue entre zéro (la Belgique) et une majorité (la Grande-Bretagne). La proportion en vigueur en France est considérée — dans l'échelle internationale — « réduite », celle des États-Unis et du Canada, représentative d'« une minorité importante », celle d'Australie et d'Irlande, « à parité ». Le cas le plus insolite est celui du Brésil où des acteurs de télévision ont été appelés à siéger en 1988. Le degré atteint dans ce pays par l'imbrication croissante de l'industrie de l'image publicitaire et celle du petit écran — comme en témoigne entre autres le *merchandising* — y est logiquement pour beaucoup.

Les fonctions principales exercées par les systèmes d'autosurveillance : un rôle préventif concernant le contenu et la configuration d'un message, le relevé *(monitoring)* des annonces pour s'assurer de l'observance du code par la profession, la réception et l'investigation des plaintes émanant du public et des concurrents, le rappel à l'ordre de ceux qui commettent des infractions, la participation aux commissions officielles chargées de la supervision déontologique de certains médias. C'est à ce titre que, en France, le Bureau de vérification participe — aux côtés de l'Association des agences conseils en communication (AACC), de l'Union des annonceurs (UDA), de l'Institut national de la consommation (INC) et des représentants des chaînes de télévision —

aux travaux du Comité de la communication publicitaire du Conseil supérieur de l'audiovisuel (CSA), qui a comme mission de surveiller le contenu de tous les spots diffusés sur le petit écran. En clair, un rythme de 200 spots chaque mercredi en 1988 jugés sur leur *story board* avec un taux de 80 % passant sans encombre l'obstacle du comité. Problèmes rencontrés : place des enfants, image de la femme, publicité mensongère et secteurs interdits de télévision. En octobre 1989, l'interprofession et le CSA se sont rencontrés pour envisager un possible assouplissement de la procédure dans le sens de l'autocontrôle.

La liberté d'expression commerciale

Dans les années quatre-vingt, les principes d'autodiscipline et d'autorégulation se sont convertis en cheval de bataille. Un rôle que les deux décennies précédentes de discussions procédurières étaient loin de laisser soupçonner. Avec la légitimité acquise par la loi du marché, le « moins d'État » s'est traduit dans le slogan et la revendication : discipline du marché + autodiscipline des agences. Sus à l'ingérence de la puissance publique. Libérez l'espace. Dérégulons en autorégulant.

Le débat sur l'avenir des paysages audiovisuels européens a offert l'occasion de ce saut qualitatif dans l'action concertée. L'acteur publicitaire, muni de sa tradition d'autorégulation, est devenu un redoutable bretteur de la déréglementation dans les commissions et assemblées communautaires. Pour arriver à faire entendre la voix de sa jurisprudence privée, il lui fallut auparavant réorganiser ses réseaux corporatifs à l'échelon international. Ce sera chose faite en 1980. L'apprentissage de la solidarité interprofessionnelle se fera sur le terrain entre 1975 et 1978 lorsqu'il s'agira de contrer les premiers projets de la CEE sur l'harmonisation des réglementations des activités publicitaires.

En 1980 donc, le front uni publicitaires-annonceurs-supports donne le coup d'envoi d'une Tripartite de la publicité (European Advertising Tripartite, ou EAT), le partenaire le plus actif étant indubitablement l'Association européenne des agences (European Association of Advertising Agencies — EAAA). La Tripartite comme l'EAAA ont été accréditées auprès des instances communautaires et c'est à ce titre qu'elles sont intervenues activement dans les couloirs et les débats qui se sont déroulés à la Commission de la CEE sur la « Directive » de la télévision transfrontières et au Conseil de l'Europe à propos de la « Convention » portant sur le même sujet, mises en chantier respectivement en 1984 et 1986. Les experts les plus au fait des questions en discussion ont été ceux en provenance de l'Advertising Association de Grande-Bretagne. Ce sont eux que le plus souvent le binôme exécutif EAT-EAAA a dépêchés pour défendre à la barre ses dossiers.

Pendant longtemps, le débat a été écartelé entre les deux pôles Grande-Bretagne/République fédérale d'Allemagne. L'une, ultra-libérale, voulant faire sauter tous les verrous en matière de quotas publicitaires, modalités de transmission et secteurs permis. L'autre se bloquant sur la pratique de ses télévisions publiques, obligées de transmettre les spots avant une certaine heure et, surtout, en « blocs » ou « tunnels ». Après de longues négociations, la « Convention » a été adoptée en mars 1989 et la « Directive » en octobre de la même année. Cette dernière stipule que la publicité ne peut dépasser 15 % du total du temps d'antenne avec un maximum de 20 % par heure. Les émissions religieuses et les programmes pour enfants d'une durée inférieure à trente minutes ne peuvent être interrompus par des spots. Les films supérieurs à quarante-cinq minutes ne peuvent l'être qu'une fois (contrairement à la proposition britannique de permettre jusqu'à trois interruptions). Restriction plus sévère, en principe, que celle fixée par la « Convention ». La publicité pour le tabac et les médicaments est interdite et celle pour les boissons alcooliques fortement restreinte. Malgré les concessions que représentent les moutures finales des deux documents par rapport aux projets initiaux des instances communautaires, la Tripartite persiste et signe dans la défense du principe de l'autorégulation. Faisant ses calculs après le scrutin, elle estime que les diverses restrictions qui grèvent l'espace publicitaire constituent une ponction inadmissible de 15 % sur les recettes des télévisions commerciales.

A l'échelon de la planète, une seule organisation — qui réunit les hauts responsables de la publicité, du marketing et des médias — a pris les devants : l'IAA (International Advertising Association). Fondée en 1938, plus de 75 pays y sont représentés. Hors ses quelque 2 800 adhérents individuels, elle compte parmi ses membres institutionnels et collectifs les annonceurs les plus prestigieux comme ATT,

Les formations

• Le temps des stratèges a haussé la barre des critères de recrutement pour les commerciaux et les gestionnaires. Les grandes écoles de commerce offrent des formations supérieures. L'année académique 1988-1989, l'École des hautes études commerciales (HEC) a ouvert un master en communication dans l'optique de former des managers à la communication d'entreprise : un an d'études ; conditions d'admission : bac + 5 ou diplôme de grande école ; frais de scolarité : 65 000 F par an. L'École supérieure de commerce de Paris offre, elle aussi, une formation de même niveau, mais tournée essentiellement vers les médias. Frais de scolarité : 45 000 F par an. Dans les deux cas, environ 100 candidats ont postulé en 1988 et un cinquième a été admis. D'autres écoles supérieures de commerce ont pris le même type d'initiative. En province, par exemple, Toulouse.

• Les grandes agences de publicité et de conseil en communication se sont investies dans la formation. En 1988, RSCG a créé RSCG-Campus qui s'autoproclame comme la première université de communication européenne. Établissement privé d'enseignement technique supérieur, elle assure une formation en trois ans (après le bac). Quatre options en dernière année : politique (communication d'intérêt public), management (communication interne des entreprises), médias (presse écrite et audiovisuelle), communication (publicité, marketing direct, promotion et relations publiques). Frais de scolarité : 24 500 F par an. Pour son année inaugurale, 450 candidats se sont présentés pour 210 admis. Les agences du groupe Eurocom soutiennent, quant à elles, un établissement plus ancien, l'Institut supérieur de publicité et de communication d'entreprise, connue sous le nom de « Sup' de Pub ». Un cycle long correspondant à un deuxième cycle et un court troisième cycle. Frais de scolarité : 25 000 F par an. Une moyenne de 500 candidats pour 90 inscrits. Mais la doyenne (1927) est l'École supérieure de publicité (ESP). Son lien avec l'IAA la met en réseau avec des écoles similaires en Belgique, en Finlande, en Grande-Bretagne, en Grèce, en Hollande et en Suisse.

• Des formations bac + 2 se sont multipliées dans les années quatre-vingt. Dans l'enseignement privé comme dans le public. Publicité-marketing, relations publiques, communication d'entreprise, communication et action publicitaire, toutes ces spécialités ont désormais leur BTS (brevet de technicien supérieur) et leur DUT (diplôme délivré par les IUT ou institut universitaire de technologie). Dans la foulée de l'engouement pour la communication, nombre d'établissements se sont créés dont les formations ne correspondent pas toujours aux promesses des programmes qu'ils font miroiter. Cela est encore plus grave lorsque, à la clé, l'étudiant doit débourser une moyenne de 15 000 à 25 000 F par an.

• Depuis la fin des années soixante-dix, des filières communication/information se sont développées au sein des universités et sont venues s'ajouter aux centres de formation en journalisme préexistants. Au niveau des trois cycles. Dans le domaine de la communication liée aux besoins des entreprises, le Celsa ou Institut des hautes études de l'information et de la communication, rattaché à l'université de Paris-IV, occupe un statut particulier : il fonctionne sur le modèle des grandes écoles (gestion autonome et sélection à l'entrée). Nombre de ces formations dispensées par l'enseignement supérieur public ont tenté — avec des succès divers — de s'adapter à la polyvalence de ce nouveau marché de travail des « métiers de l'information et de la communication ». Un marché par définition éclaté où le responsable Communication d'une municipalité côtoie le chef de publicité, le journaliste d'entreprise, le documentaliste, le chef de relations publiques, le spécialiste en information scientifique et technique, le chercheur, etc. Un marché beaucoup plus lent à se créer que ne le donne à croire la vision mythique de la société de communication, avant-goût du troisième millénaire.

• Comment cela se passe-t-il hors des frontières de l'Hexagone ? Si Cambridge et Oxford ont mis le temps pour s'intéresser à la communication stratégique, en revanche, le niveau intermédiaire de l'enseignement supérieur britannique (*Polytechnic* et *College*) s'est très tôt doté d'un réseau de lieux de formation adéquat. Et ce avec l'appui actif de l'interprofession publicitaire. Une fondation, la CAM (Communication, Advertising, Marketing) Foundation, supervise la délivrance d'un « certificat » et d'un « diplôme » CAM en *communications studies* à travers un réseau de plus de vingt centres d'enseignement habilités par elle. Rien d'étonnant donc à ce que le programme d'éducation de l'IAA ait élu comme siège celui de la CAM. Si besoin était, on a là une confirmation de plus du rôle d'avant-garde assumé par le système publicitaire britannique et ses professionnels dans la construction de l'« Europe de la publicité ».

• Aux États-Unis, dès les débuts de cette industrie, la publicité est entrée par la grande porte à l'Université. On ne compte d'ailleurs plus les apports réalisés par les milieux académiques aux savoirs utilisés par la profession. Et ce, dès les années trente où l'inventeur des sondages d'opinion publique, George Gallup, quittait sa chaire de l'université d'Iowa pour rejoindre Young & Rubicam.

Fortement influencés par ce modèle universitaire, très tôt, nombre de centres d'enseignement supérieur, publics et privés, d'Amérique latine fonderont des filières « publicité » et « relations publiques ». Ce n'est que dans les années soixante-dix que des alternatives à ce modèle seront proposées. Aujourd'hui, il n'est pas rare de voir des associations de professionnels des relations publiques — comme la brésilienne — poser dans leurs congrès des questions comme la suivante : « Que peut apporter notre expertise à l'organisation d'actions et d'opérations en vue d'aider les habitants des *favelas* [bidonvilles] à résoudre leurs problèmes ? » Ce qui montre que contrairement à ce que proclament les publicitaires de la post-modernité, on n'échappe pas aussi facilement au poids du social !

Coca-Cola, Colgate-Palmolive, Heineken, Henkel, IBM, Nestlé, Philips, Procter & Gamble, pratiquement tous les grands réseaux et de nombreux groupes de communication depuis le *Reader's Digest* jusqu'au *Time* en passant par le groupe multimédias allemand Bertelsman.

Son département d'études traque les atteintes au droit à l'autorégulation partout dans le monde et son département de formation n'a de cesse d'améliorer la qualité des cursus publicitaires dans les établissement d'enseignement en accréditant dans nombre de pays des instituts supérieurs qui suivent l'« IAA Education Programme ». Mais son action principale, l'IAA la développe par-dessus tout dans tous les hémicycles où se décide l'avenir des systèmes de communication. Ses experts peuvent intervenir aussi bien sur les dossiers des instances européennes où elle est accréditée depuis la fin des années soixante-dix que sur ceux du GATT (Accord général sur les tarifs douaniers et le commerce) où se discute la libéralisation des échanges dans l'industrie des services, dont fait évidemment partie la publicité.

Au-delà de leurs victoires et échecs ponctuels, ce qu'ont réussi les organisations corporatives, européennes ou mondiales, dans les années quatre-vingt, c'est sans aucun doute à asseoir la légitimité sociale d'une nouvelle liberté appelée « liberté d'expression commerciale », une liberté qu'elles revendiquent comme aussi vitale pour la survie de la démocratie que la liberté d'expression individuelle : liberté d'entreprise, liberté de parole, liberté de choix.

Laissons donc la parole au rapport d'activités annuel du groupe Interpublic pour 1986 : « La liberté d'expression commerciale est aussi essentielle au système de la démocratie économique que ne l'est la liberté d'expression politique pour le fonctionnement de la démocratie politique [...] Dans un système de démocratie économique, les consommateurs votent avec leurs dollars. Si la majorité gouvernante se permet de toucher l'expression commerciale, c'est tout le processus du "vote économique", pièce centrale de tout système de souveraineté du consommateur, qu'il faussera [...] Les élites n'aiment pas la publicité précisément parce qu'elle transfère le pouvoir réel sur les médias et leurs contenus au grand public [52]. »

VI / Les regards critiques

La publicité ne vit pas que d'information

La liste des études critiques sur la publicité est bien courte face au volume des études appliquées. Leur grande période se situe dans les années soixante et au début des années soixante-dix. C'est l'époque où le structuralisme triomphant découvre le symbolique. L'anthropologie structurale enseigne alors que l'échange symbolique est la structure fondamentale de toute culture tandis que la linguistique se fixe comme projet de construire une science des signes, une « véritable science de la culture qui soit d'inspiration sémiologique », selon l'expression d'une figure-phare de l'époque, Roland Barthes. Dans son ouvrage *Mythologies*, devenu un classique, Barthes traite — aux côtés de nombreuses autres expressions de la culture de masse — de l'annonce publicitaire comme mythe moderne [53].

En mettant l'accent sur le symbolique, l'approche structurale met en lumière une dimension de l'acte publicitaire largement ignorée : sa dimension onirique. Les critiques antérieurs — et, plus particulièrement, ceux inspirés par les mouvements de consommateurs anglo-saxons — avaient surtout envisagé la publicité comme un instrument de promotion de produits dotés d'une seule dimension positive, leur dimension fonctionnelle. De l'information sur des faits objectifs, une publicité informative libre de tout ce qui pourrait apparaître comme mensonger. Ce faisant, était passée à la trappe cette dimension du spectacle, de l'artifice qui tente de susciter le plaisir par l'humour ou l'esthétisme.

La sémiologie structurale réfutait à la fois la démarche

empiriste qui ne voyait dans l'annonce qu'un vecteur d'information et les méthodes d'analyse de contenu que cet empirisme avait mises au point. A l'examen du contenu manifeste des messages, elle opposa la lecture idéologique qui décode les signifiés et traque le sens. L'heure était alors à la démystification du discours publicitaire de la modernité et surtout aux dénonciations virulentes contre ce que le philosophe Jean Baudrillard appelait l'« idéologie de la société de consommation » [54].

Ce moment chaud de la contestation théorique et sociale de la publicité et de l'environnement marchand des médias est aussi celui où commence l'ambiguïté. Les outils affinés par l'anthropologie et la linguistique structurales aident aussi l'industrie publicitaire à gagner sa légitimité dans des sociétés réticentes à marier culture et négoce. C'est, en tout cas, le bilan qu'en tirait quelque vingt ans après un chercheur publicitaire : « On découvre que *la pensée sauvage* n'est pas particulière aux sociétés primitives, mais que les marques commerciales fonctionnent un peu, dans la société contemporaine, comme le système totémique ou le polythéisme païen. Cette vision anthropologique innocente la publicité : il n'y a rien de nouveau sous le soleil... [Elle] permet une réconciliation avec l'industrie culturelle [...] Elle implique philosophiquement une sorte d'idéalisme du signe. Puisque l'homme est un être symbolique, que le symbole le constitue de part en part, on peut pousser la chose jusqu'à considérer que "tout est signe" et que le référent n'est que son *ombre portée* [55]. »

Sur le plan du métier de publicitaire, linguistes et sémiologues apportèrent indéniablement un plus dans l'éclairage des phénomènes d'encodage et de décodage des discours publicitaires. Pour la première fois dans l'histoire de la publicité française, dans le pays d'où a irradié mondialement la vision structuraliste, s'opéra la synergie entre recherche à but lucratif et recherche universitaire.

Les impasses de la manipulation

Intox, intoxication, manipulation, lavage de cerveaux : ces expressions ont pendant longtemps servi de signe de ralliement aux critiques émises à l'encontre de la publicité. Slogans étudiants, dénonciations proférées autant par les pouvoirs religieux que par les partis de la gauche, mais également théories ont incarné une façon de dire le rôle négatif de l'institution publicitaire.

Cette manière de voir se retrouve dès les années trente chez les tenants de l'économie de bien-être *(welfare economy)* qui distinguaient entre publicité combative ou conflictuelle et publicité constructive, entre publicité-manipulation-persuasion et publicité-information et n'hésitaient pas à exiger de l'État-providence qu'il extirpe le mal de cette publicité viciée par la concurrence. Cette manière de voir pointe également dans les réquisitoires de Vance Packard contre la « persuasion clandestine » à laquelle les consommateurs peuvent difficilement résister. Ouvrage qui marquera profondément les mouvements de consommateurs des années cinquante et soixante dans les pays anglo-saxons en particulier, qui forceront le trait en reprenant ses analyses sur la « publicité subliminale » [56]. Enfin, la manipulation noyaute aussi bien les théories des économistes marxistes Paul Baran et Paul Sweezy [57] que celles du libéral, lui aussi américain, John Kenneth Galbraith. Seul le formidable pouvoir du marketing de masse et ses techniques de création du désir et des besoins permet, selon eux, de gérer et de conditionner la demande qui, en son absence, s'émousserait [58].

Corollaire de cette vision manipulatoire : une conception instrumentale (et, pour certains, franchement moraliste) de la publicité (et, fatalement, des médias) qui distingue entre « bonne » et « mauvaise » publicité, « bon usage » et « mauvais usage » des techniques publicitaires. D'où une incapacité réelle à saisir la nature de la publicité comme dispositif appelé à structurer de plus en plus le mode de communication technologique moderne. Car « bonne » ou pas, la publicité est une manière de conjuguer l'ordre de la marchandise et l'ordre du spectacle, de produire la marchandise comme spectacle et le spectacle comme marchandise.

La rupture avec la conception manipulatoire (et omnipuissante) du pouvoir de la publicité — et du pouvoir tout court — adviendra à travers le détour par le consommateur. Cet acteur complètement ignoré aussi bien par la linguistique structurale, enfermée dans le décorticage du message et la problématique de l'« émetteur », que par les analystes du conditionnement de l'acheteur. Cette cassure épistémologique s'amorcera à la fin des années soixante-dix.

Qu'est-ce que les consommateurs fabriquent avec ce qu'ils absorbent, reçoivent et paient ? Qu'est-ce qu'ils en font ? Ce sera le mérite de Michel de Certeau de commencer à poser théoriquement ces questions [59]. Secouant les visions pavloviennes du récepteur, il insistera sur la nécessité d'être attentif aux multiples ruses déployées quotidiennement par les consommateurs pour subvertir les réseaux de l'ordre et de l'ordinaire marchand grâce à leur manière de les utiliser. Fondement d'une véritable anthropologie des usages dont s'inspireront ceux que laissent insatisfaits ou indifférents les théories de la reproduction sociale qui ont omis de penser le rôle actif de l'usager des dispositifs sociaux et culturels.

Retour aux micro-procédures quotidiennes dont le philosophe Henri Lefebvre, compagnon de voyage du surréalisme, du situationnisme et du marxisme iconoclaste, avait pressenti le besoin dans les années cinquante. Seule la « critique de la vie quotidienne » lui semblait permettre de comprendre comment la modernité marchande s'installait de façon indolore comme ligne d'horizon du bonheur humain [60].

C'est à un autre philosophe, l'allemand Wolfgang Haug, que l'on doit, en 1971, une des rares études sur la publicité comme mode de vie quotidien qui prolonge la réflexion de Walter Benjamin, de l'école de Francfort, sur la culture de masse. Situant le dispositif publicitaire dans la construction de l'identité sociale et individuelle, il propose le concept d'« esthétique de la marchandise ». Voulant indiquer par là comment des espaces imaginaires s'organisent autour de l'objet consommé ou désiré [61].

Bilan provisoire (qui risque de le rester longtemps) : le changement radical de perspectives qu'a signifié la prise en compte de l'acteur-consommateur dans les années quatre-vingt n'a pas pour autant aplani les incertitudes et les contradictions. Car sauf à décréter qu'il suffit de multiplier à l'infini les études de cas individuels pour avoir plus que la juxtaposition d'expériences particulières, il faut reconnaître que nombre de questions épistémologiques et méthodologiques que pose la constitution d'un champ de savoirs critiques sur les pratiques et les « pratiquants » de la consommation restent en suspens. La tentation est forte de renouer avec la tradition — mais aussi l'ingénuité — de l'empirisme. Et pourtant de la façon de répondre à ces questions théoriques, dépend la différence entre une problématique collée aux besoins des entreprises et des administrations et celle qui ose prendre du recul par rapport à l'ordre des choses existant.

Il n'y a guère moyen d'analyser le rapport publicité/société sans un détour par la généalogie du dispositif publicitaire. Trois ouvrages nous y invitent.

• Le premier est de l'Américain Stuart Ewen, paru en 1976 sous le titre *Captains of Consciousness* (devenu dans l'édition française *Consciences sous influence*). Ewen montre comment et pourquoi s'est formée une nouvelle doctrine, le consommatisme *(consumptionism)*, dans la période où se met en place ce mode d'organisation et de contrôle de la production et des travailleurs dans l'Amérique des années vingt connu sous le nom de taylorisme [62]. Les industriels cessent alors de se préoccuper exclusivement des problèmes de la production pour se pencher sur ceux que pose la consommation des biens lancés sur le marché. C'est sous l'effet d'une crise que s'opère la transformation du « capitaine d'industrie » en « capitaine de la conscience », ou *manager*. La prise en main du consommateur par le marketing s'est avérée indispensable à la fois pour écouler la nouvelle production de masse et juguler les conflits sociaux qui ont accompagné cette production de masse. Ewen démonte avec précision le mécanisme qui a permis de présenter la consommation comme l'expérience naturelle de la démocratie. Il s'agit d'une des trop rares études qui éclairent le processus de professionnalisation d'une activité restée jusqu'alors en marge de l'organisation scientifique du travail. Les années vingt sont, en effet, comme nous l'avons vu, celles où se forment les premières théories behavioristes et les premiers instituts d'études. Théories et études qui contribueront à la construction de la cible « famille », pièce maîtresse de cette « architecture moderne de la vie quotidienne » où se recomposent de nouveaux rôles pour la « femme », le « père » et les « jeunes ».

• Le deuxième ouvrage est celui du philosophe allemand Jürgen Habermas, lointain disciple de cette école pionnière dans l'analyse de l'« industrie culturelle » que fut l'école de Francfort (Adorno, Benjamin, Horkheimer, Marcuse). En s'interrogeant sur la généalogie de l'« espace public », cette « sphère de l'interaction sociale », Habermas posait dès le début des années soixante les bases d'une réflexion sur le lien qui existe entre l'essor de la publicité commerciale et l'organisation des grandes démocraties industrielles [63]. Prenant appui sur l'évolution de la presse, il signale comment la publicité originellement confinée aux annonces a progressivement, par le biais du marketing social et politique, affecté l'ensemble des mécanismes de participation des citoyens aux affaires de la cité. La pénétration de la logique publicitaire dans la sphère publique a fait passer la démocratie d'une « publicité » qui en appelait à l'usage public de la raison *(Aufklarüng)* et à la réflexion de ses récepteurs à une « publicité » qui recourt aux affects, à des formes d'adhésion irrationnelle. Bref, au lieu de favoriser la démystification de la domination politique, le régime de publicité contemporain se contente d'accumuler les comportements-réponses dictés par un assentiment passif et ne réclame du citoyen-consommateur qu'un « comportement acclamatif ». Dès les débuts de son itinéraire intellectuel, Jürgen Habermas parlait des grandes démocraties libérales comme des « sociétés de relations publiques généralisées ».

Dans son ouvrage sur l'espace public, le philosophe allemand est fortement redevable de la vision manipulatoire en vigueur dans les années soixante et, de ce fait, laisse bien peu de marge de manœuvre à l'intervention des acteurs de la société civile. En outre, on peut s'interroger sur son optimisme excessif à l'égard de la force de la raison.

• Le troisième ouvrage est celui de Romain Laufer et Catherine Paradeise, intitulé *Le Prince bureaucrate. Machiavel au pays du marketing*, paru en 1982 [64]. Lorsque Habermas conçut ses premières analyses de l'« espace public », l'État qu'il prenait comme référent était l'État-providence. Une forme d'État qui paraissait à cette époque encore éternelle. C'est précisément cette crise de l'État-providence (et du service public) qu'abordent le spécialiste de la théorie du management et la sociologue. La crise de légitimité de l'État a projeté, depuis la fin des années soixante-dix, ce dernier à la rencontre des méthodes de gestion propres au secteur privé : management-marketing-publicité. « L'entrepreneur, l'homme politique, l'administrateur, tous cherchent désormais une information sur des "publics", afin de définir leurs produits ; tous utilisent l'arme de la séduction publicitaire ; tous, enfin, se préoccupent d'un même mouvement de la gestion de leurs "fabrications" et de leurs "ventes", mais aussi de leur image. » La « société du marketing » — terme qui désigne, selon les auteurs, notre société contemporaine — correspond à un modèle cybernétique d'organisation des rapports sociaux. A l'instar de la vieille philosophie du sophisme, le marketing et son découpage de la société sont régis par l'empirisme comme méthode, par la rhétorique comme moyen et par le pragmatisme comme but.

Enfin, notons que, pendant les années soixante et soixante-dix, un point aveugle des savoirs critiques sur la publicité a été sans aucun doute la dimension internationale de ce phénomène. Même si dans la rue et les organisations partisanes, les dénonciations contre les produits de la culture de masse américaine battaient leur plein. En s'emprisonnant dans les frontières de l'État-nation, on s'empêchait de voir comment l'histoire de la formation des réseaux publicitaires est aussi l'histoire des premières voies d'accès à ladite modernité médiatique. Comment s'est entamé, par cette tête de pont du réseau de communication, le branchement permanent, quotidien et massif des sociétés et des cultures singulières — locales, régionales, nationales — sur des flux et des références à vocation transnationale. Hormis quelques études pionnières, en provenance plus particulièrement des pays anglo-saxons [65, 66], ce type de problématique pointera à la fin des années soixante-dix à travers la prise de conscience dudit tiers monde des grands déséquilibres mondiaux en matière de réseaux de communication (voir chapitre I, 3).

A la fin des années quatre-vingt, l'« impératif de l'internationalisation » était devenu tel qu'il était impensable de ne pas l'inscrire au rang des questions centrales.

Le contentieux économique

A quoi sert la publicité ? Réponse : « La publicité fait partie intégrante du système de production et de distribution de masse au service du grand public. Les fabricants de biens et les fournisseurs de services ont besoin d'informer et de rappeler au public ce qu'ils ont à offrir. Un tel système d'information est utile pour l'économie de la production. Il est nécessaire aux consommateurs pour qu'ils puissent faire leur choix entre plusieurs options. En outre, la publicité a un effet de stabilisation de l'emploi en assurant l'écoulement constant de la production ; la publicité est le fondement de la concurrence sur le marché *(marketplace)*, elle stimule le développement et l'innovation, rend possible l'approvisionnement en biens et services de faible coût auparavant trop chers pour le marché. Enfin, la publicité apporte sa contribution essentielle au financement des médias. »

Cette définition de la fonction économique de la publicité figure dans le préambule du « Mémorandum explicatif » de la philosophie des Communautés européennes à l'égard de cette activité et date d'août 1978. Elle est, en fait, l'aboutissement d'un sérieux compromis. Elle consacre la première victoire des organismes représentatifs de l'interprofession sur les instances de régulation communautaires. Premier succès dans une bataille qui avait débuté trois ans auparavant lorsque le Conseil des ministres avait approuvé le programme de protection et d'information du consommateur, donnant le feu vert au projet d'harmonisation des législations en vigueur dans la communauté des Neuf. Au centre du débat : les propositions destinées à enrayer la « publicité mensongère et déloyale » et plus particulièrement deux articles renforçant le pouvoir d'intervention des associations de consommateurs. Cette déclaration de principes remplissait une mission : légitimer l'activité publicitaire. A une époque où ses adversaires contestaient ni plus ni moins son bien-fondé, cette nouvelle caution permettait de déplacer radicalement le terrain de la discussion. Au-delà de l'entérinement officiel d'une fonction, cette profession de foi circonscrivait les termes d'un débat qui, quelque dix ans plus tard, déboucherait sur la résistance farouche de la corporation aux « quotas publicitaires » et à toute forme d'intervention visant à réglementer la pratique publicitaire dans certains secteurs de l'industrie ou des services ou pour certaines catégories de la population.

Plaidoyer *pro domo*, ce petit paragraphe l'était puisqu'il ne faisait qu'assener des vérités qui prenaient l'exact contrepied d'autres vérités assenées, elles aussi, par ses critiques. La publicité est synonyme de gaspillage ; elle draine des ressources, mène à la constitution de monopoles, empêche la concurrence par les prix de se développer ; elle crée des barrières à l'entrée de nouveaux concurrents sur le marché et annule ou réduit la compétition entre firmes ; elle augmente les coûts et les prix ; elle engendre une fausse différenciation entre les produits en magnifiant des différences minimes ou imaginaires. Enfin, l'information qu'elle fournit est définitivement fallacieuse.

Cette argumentation binaire hante les controverses sur les « effets économiques de la publicité » depuis longtemps. Le nombre de polémiques — et le degré passionnel qu'elles atteignent parfois — est inversement proportionnel à celui des connaissances. On sait, en effet, peu de chose sur l'impact de la publicité sur la concurrence, les prix, la croissance et le développement économique. La plupart des recherches sur le thème proviennent des États-Unis et de Grande-Bretagne et, d'une façon générale, partout dans le monde, peu d'économistes se sont investis dans la question. La plupart des études oscillent entre les théories macro-économiques — telles celles proposées par les Américains Sweezy et Galbraith — et les études micro-économiques au niveau de la firme. Bilan sans complaisance d'un économiste britannique, chargé en avril 1988 par les chaînes commerciales (ITV) de son pays de dresser un état des savoirs en la matière : « Dire que la fonction de la publicité est la communication revient à frôler la tautologie : la question qu'il convient de poser est plutôt quels effets produit la publicité qui font que le fournisseur de biens de consommation ou de services veuille dépenser son argent dans les campagnes. Au niveau de la firme — ou de la marque —, c'est, en dernière instance, pour créer, entretenir ou accroître les ventes de produits ou services existants, modifiés ou nouveaux dans un environnement concurrentiel. Or à ce niveau, il n'y a guère de recherches académiques disponibles parce que les chercheurs ont rarement accès à une information détaillée, celle-ci restant en général confidentielle pour raisons commerciales [...] Au niveau du marché où on dispose de plus d'études universitaires sur le rapport publicité/parts de marché [...] on est arrivé progressivement à la conclusion qu'il était difficile de démontrer que la publicité avait un effet substantiel sur le marché comme un tout. » Et de conclure : « Des trouvailles de cette nature ne sont évidemment pas bien vues par l'industrie publicitaire puisque ses représentants les moins sophistiqués en matière d'économie ont coutume de mettre en avant l'argument selon lequel la publicité d'une certaine façon fait monter le flux des biens et services et, donc, amène, entre autres bénéfices, une croissance de l'emploi, etc. [67]. »

Les lois de rentabilité dudit « investissement publicitaire » restent encore largement à trouver. Que ce soit sur l'entreprise ou l'économie dans son ensemble, l'impact général de la publicité reste, au bout du compte, difficile à isoler [68].

Rien n'est moins sûr que « la publicité soit le chemin le plus court du producteur au consommateur » (adage qui remonte à 1909 et est attribué à J. Walter Thompson). Rien n'est moins sûr que la plupart des messages ne soient pas perdus, non décryptés, non mémorisés ou interprétés selon un autre code que celui de l'émetteur. Certains publicitaires prennent d'ailleurs appui — de façon perverse — sur cette relative « inefficacité » de leurs messages pour réclamer la libération totale des espaces publicitaires, exiger plus de déréglementation. C'est ainsi qu'en 1976, alors que s'intensifiait l'affrontement entre l'industrie publicitaire et les autorités fédérales aux États-Unis, on a pu lire sous la plume d'un éditorialiste de *Advertising Age* les propos suivants : « Nous sera-t-il possible, à nous publicitaires, de rester suffisamment productifs alors que la régulation s'accroît jour après jour, se resserre, devient de plus en plus restrictive ? Permettez-moi d'en douter. Déjà maintenant, 85 % des messages publicitaires n'atteignent pas leur but de convaincre parce que ni vus, ni écoutés. Un autre 5 à 10 %, bien qu'enregistré, n'est pas cru [69]. »

En 1972, lorsque les annonceurs français publièrent leur livre blanc sous le titre *Les Besoins des annonceurs en matière de recherche publicitaire*, ils l'ornèrent en exergue de la fameuse boutade attribuée au fondateur de la firme Lever : « Je sais que la moitié de mon budget de publicité est gaspillée, mais, malheureusement, je ne sais pas laquelle. »

Le saut qualitatif dans la rationalisation du complexe publicitaire amorcée dans les années quatre-vingt risque de remettre les pendules à l'heure.

L'inquiétant dans le flou qui traverse les savoirs professionnels sur le rapport publicité/économie est que les approximations deviennent vite des dogmes lorsqu'il s'agit de construire un discours de légitimation pour asseoir telle ou telle politique de déréglementation de l'ensemble du système audiovisuel. Politique dont les enjeux sont autrement plus importants que de savoir si telle ou telle campagne fait vendre à tel fabricant autant de tubes de dentifrice. On comprend encore mieux ces enjeux lorsque l'on sait que les grandes batailles communautaires sur la réglementation de la télévision transfrontières en Europe ont eu comme maître d'œuvre non pas les directions générales de la Culture et de l'Audiovisuel de la CEE, mais bien la direction générale de la Consommation et de la Concurrence. Celle-là même qui en 1975 prenait les rênes du débat sur la « publicité mensongère et déloyale ». Si besoin était, on a encore là une preuve de la place centrale acquise par l'acteur publicitaire dans nos sociétés.

En attendant les retombées de la majoration des investissements de la recherche publicitaire dans la connaissance des comportements des consommateurs, on ne peut s'empêcher de conclure sur une constatation : nombre de débats autour des « effets de la publicité » — tout comme d'ailleurs à propos des « effets des médias » — sur la société sont entachés d'un sérieux vice de fond. Ils restent le nez collé à la relation individuelle message publicitaire/consommateur alors que nos sociétés vivent tout entières sur le mode publicitaire. Un mode de communication qui, qu'on le veuille ou pas, structure des choix fixant un horizon de priorités et de hiérarchies sociales dans l'usage que font nos sociétés de leurs ressources collectives et de celles de chaque individu, à la fois consommateur et citoyen.

Conclusion

Qu'y a-t-il de commun aux chercheurs expérimentant à longueur d'années un encéphalogramme électronique en vue de mesurer les réactions des téléspectateurs aux divers segments d'un spot et à ces autres professionnels qui, las de traquer un sens introuvable, prêtent à ce même consommateur de spots le regard de l'insouciance ludique de téléspectateur postmoderne ? Qu'est-ce qui unit ceux qui observent le récepteur en le coiffant d'un casque « Orange mécanique » et ceux qui le voient se mouvoir comme un joueur rusé dans les espaces publicitaires ? Réponse : un même désarroi contemporain face à la difficulté de mesurer les phénomènes subjectifs et à saisir l'instant fragile et fugitif du moment de la réception. Un vieux problème qui n'est pas près de trouver son sésame.

Contraste. L'ouverture à la publicité n'a jamais été aussi favorable dans les sociétés qui, hier encore, y étaient farouchement hostiles. Plus de réquisitoires violents contre son bien-fondé. De moins en moins d'ouvrages critiques au profit d'une avalanche de textes à usage professionnel. La publicité semble être entrée, avec les années quatre-vingt, dans les mœurs et faire partie des meubles.

« Nos sociétés ont cessé d'être publiphobes. Modernité oblige », renchérit l'industrie publicitaire. Publiphobie/publiphilie : une question de sondage. « Tu m'aimes. Tu ne m'aimes pas. » Faux dilemme s'il en est, qui lui permet de souffler le chaud et le froid sur un débat qui n'en a que l'apparence. Rien n'est, en effet, plus commode que de prescrire le lieu d'où parler.

Si les choses ont changé dans le rapport qu'entretient la société avec la publicité et dans la façon dont les gens vivent cette dernière et en parlent, ce n'est pas forcément là où on nous incite à le croire, ni non plus pour les raisons que l'on nous donne.

Les hégémonies ont glissé et les rapports de forces se sont transformés. L'entreprise et sa hiérarchie de valeurs occupent désormais une place centrale dans le redéploiement social et économique de nos sociétés. La démarche et l'idéologie entrepreneuriale ont gagné l'ensemble du corps social. D'un régime de vérité centré sur l'État-providence, le service public et le jeu contraignant des forces sociales, nos sociétés sont passées sous un nouveau régime de vérité vissé autour de l'entreprise, l'intérêt privé et le libre jeu des forces du marché. Ceci explique cela : le portefeuille des expertises rassemblées sous le concept de communication y a conquis sa légitimité sociale et professionnelle. Avec elle, sont apparus de nouveaux modes de gérer les rapports entre les hommes. Un nouveau mode d'exercice du pouvoir. Un mot auquel les stratégies douces de production de l'adhésion sociale ont fait perdre une grande part de sa pertinence, sauf à le situer nulle part. Un mot qui ne s'avoue comme tel que lorsqu'il entérine le grand clivage de l'économie dite mondiale : *Triad Power*.

Si, d'après les sondages, le public n'a pas de mots assez sévères pour s'insurger contre la pollution publicitaire à l'écran et le démontre par sa pratique rebelle du zapping, ce même tapage autour du spot l'éloigne de l'appréhension globale du nouveau dispositif de communication. A l'indignation contre la saturation, répond le silence sur l'essor des techniques de surveillance électronique à des fins de mesure d'audience. Phénomène pourtant tout aussi préoccupant du point de vue de l'évolution de la démocratie au quotidien. Le ras-le-bol n'aurait certainement pas manqué de se faire sentir il n'y a pas encore si longtemps, au temps où planaient les références orwelliennes. Le problème du citoyen face à la progression des mécanismes du marché dans le tissu social et à la mise en valeur par le capital de la culture réside en ceci : comment éviter que des dispositifs se mettent en place comme s'ils allaient de soi ? Tenter d'exercer un contrôle social sur ce processus qui n'a de cesse de repousser le seuil de l'intolérable. Ne pas transiger sur ce métabolisme de la marchandise converti en « nature des choses ».

Trois facteurs parasitent une prise de conscience du saut qualitatif qu'est en train d'effectuer au seuil du troisième millénaire le mode de communication comme mode d'organisation et de régulation sociale. Le premier est l'essor des conceptions néo-libérales du monde. Conceptions qui sont la négation même de l'impératif de résistance : l'individu-consommateur est souverain dans ses choix et l'entreprise assez autodisciplinée pour mettre en place les systèmes d'autorégulation qui y correspondent. Le deuxième facteur est l'air du temps postmoderne. Celui de l'idée de la décomposition du sens, de la déconnexion sociale du message publicitaire, évoluant en marge du vrai et du faux. Jeu parmi les jeux. Le troisième est la faiblesse de la réflexion sur les modèles d'hyperconsommation qui profitent à un cinquième de l'humanité et sans lesquels ces dispositifs de plus en plus complexes n'auraient pas de sens. Une faiblesse qui est aussi celle des organisations qui ont historiquement fait profession d'impulser le changement social. Une carence d'autant plus criante que, dans les affrontements au sein des organismes de la Communauté européenne, par exemple, les dossiers mal ficelés des accusateurs de la publicité mensongère ont été de peu de poids face au lobbying des organismes de représentation de la profession. Il est à souhaiter que la nouvelle conscience des usagers de la télévision qui s'exprime dans la formation — tant au niveau national qu'international — d'associations ou de mouvements de téléspectateurs en vue de défendre leurs droits stimule d'autres formes de recherche-action, mieux adaptées aux enjeux globaux de la « société de communication ».

Dernier élément du nouveau paysage de la communication : l'entrée en scène de nouvelles générations sur un marché de travail, encore incertain, mais en train de se constituer. Il est bien loin le temps où une poignée d'intellectuels pouvaient — sans avoir de compte à rendre à personne, si ce n'est à une masse silencieuse prise à témoin — fustiger les formes de la communication marchande à partir d'un territoire non contaminé par sa loi. Les « métiers de la communication » tentent de plus en plus de jeunes et, pour d'autres, constituent un univers avec lequel ils doivent ou devront composer. Continuer à penser que ce champ professionnel est le refuge des suppôts de la marchandise revient à nier que si le marché n'est pas — comme voudrait le faire accroire l'idéologie néo-libérale — toute la société, il est plus que jamais une composante de la société. C'est-à-dire un lieu où la définition de la professionnalité n'exclut pas obligatoirement celle de la citoyenneté. Un professionnel-citoyen qui n'endosse pas l'idée que, s'il subsiste dans la « société de communication » des personnes qui « n'aiment pas la publicité », ce n'est pas forcément parce qu'elles font partie « des élites qui refusent de transférer le pouvoir réel sur les médias et leurs contenus au grand public ».

C'est ici que plus que jamais se fait essentielle la médiation de l'enseignement. A condition, toutefois, que celui-ci récupère cette dimension fondatrice du service public qui est de permettre de prendre de la distance par rapport au pragmatisme de la logique commerciale. Car si les hommes naissent égaux devant la loi, ils ne naissent pas égaux devant le marché et cette inégalité-là met constamment en péril l'exercice de la souveraineté du citoyen et des peuples.

Repères bibliographiques

[1] LAGNEAU G., *La Sociologie de la publicité*, PUF, « Que sais-je ? », Paris, 1983.

[2] FLEMING T., « How It Was in Advertising: 1776-1976 », *Advertising Age*, 19 avril 1976.

[3] BLEUSTEIN-BLANCHET M., *La Rage de convaincre*, Laffont, Paris, 1970.

[4] MATTELART A., *L'Internationale publicitaire*, La Découverte, coll. « Textes à l'appui », Paris, 1989.

[5] LEVITT T., « The Globalization of Markets », *Harvard Business Review*, juin 1983.

[6] WIND Y., DOUGLAS S., « Le mythe de la globalisation », *Recherches et applications en marketing*, octobre 1986.

[7] PICARDI M., « Globalisation, théorie et pratique », *Revue française de marketing*, août 1987.

[8] OHMAE K., *La Triade*, Flammarion, Paris, 1985.

[9] Dossier « Marketing et pays en voie de développement », *Revue française de marketing*, 1987, 2.

[10] MOORE LAPPE F., COLLINS J., *L'Industrie de la faim*, « L'étincelle », Montréal, 1978 (traduit de l'américain).

[11] « US and Foreign Advertising Income », *Advertising Age*, 29 mars 1989.

[12] Advertising Association-European Advertising Association (AA-EAT), *The European Advertising & Media Forecast*, Londres, vol. 3, n° 3, décembre 1988.

[13] IREP, *Le Marché publicitaire français en 1988.*
[14] Starch-INRA-Hooper/IAA, *World Advertising Expenditures Report*, 1988.
[15] « Vices de pub », *Les Dossiers du Canard*, 1989.
[16] « Top Advertisers by Country », *Advertising Age*, 19 décembre 1988.
[17] Advertising Association, *Advertising Statistics Yearbook*, n° 3, juin 1985.
[18] Dossier : « Stalking the New Consumer », *Business Week*, 28 août 1989.
[19] « Dossier sur les sociétés d'études en France », *Communication/CB News*, 17 mai 1989.
[20] « Enquête annuelle sur les sociétés de recherche des États-Unis », *Advertising Age.*
[21] LAGNEAU G., *Les Institutions publicitaires. Fonction et genèse*, thèse de doctorat d'État, Lettres et sciences humaines, Paris-Sorbonne, 1982.
[22] LEIGH J.H., MARTIN C., *Current Issues and Research in Advertising*, Ann Arbor, University of Michigan, 1981.
[23] DICHTER E., *La Stratégie du désir*, Fayard, Paris, 1961.
[24] JOANNIS H., *De l'étude de la motivation à la création publicitaire et à la promotion des ventes*, Dunod, Paris, 1976.
[25] HENNION A., MEADEL C., *Dans les laboratoires du désir : le travail des agences de publicité*, Centre de sociologie de l'innovation, École des mines, 1987.
[26] KAPFERER J.N., *Les Chemins de la persuasion*, Dunod, Paris, 1984.
[27] PENINOU G., *Intelligence de la publicité*, Laffont, Paris, 1975.
[28] CATHELAT B., *Styles de vie*, Éditions d'organisation, 1985.
[29] DESROSIÈRES A., THÉVENOT L., *Les Catégories socioprofessionnelles*, La Découverte, coll, « Repères », Paris, 1988.
[30] MEYNAUD H., DUCLOS D., *Les Sondages d'opinion*, La Découverte, coll. « Repères », Paris, 1989 (rééd.).
[31] PRADIER J.M. *et al.*, *Le Téléspectateur face à la publicité. L'œil, l'oreille, le cerveau*, Nathan, Paris, 1989.
[32] HAINEAULT D.L., *L'inconscient qu'on affiche. Essai psychanalytique sur la fascination publicitaire*, Aubier, 1984.

[33] DURAND J. « Rhétorique et image publicitaire », *Communications*, 1970, 15.
[34] MALTHETE-MÉLIÈS M., *Méliès l'enchanteur*, Hachette, Paris, 1973.
[35] MEREDIEU (DE) F., *Le Film publicitaire*, Veyrier, 1985.
[36] Syndicat des producteurs de films publicitaires, *La Production des films publicitaires en France en 1988.*
[37] CANTOR M., PINGREE S., *The Soap Opera*, Beverly Hills, Sage, 1985.
[38] MATTELART M. et A., *Le Carnaval des images*, La Documentation française-INA, Paris, 1987.
[39] SCHWEBIG P., *Les Communications de l'entreprise*, Mc Graw Hill, 1988.
[40] VILLETTE M., *L'homme qui croyait au management*, Le Seuil, Paris, 1989.
[41] MORVILLE P., *Les Nouvelles Politiques sociales du patronat*, La Découverte, coll. « Repères », Paris, 1985.
[42] CHALANDAR J., BREBISSON (DE) G., *Le Mécénat en Europe*, La Documentation française, Paris, 1987.
[43] SAHNOUN P., *Le Sponsoring : mode d'emploi*, Chotard, 1986.
[44] « Special Report : the Business of Giving », *USA Today* (édition internationale), 19 décembre 1987.
[45] LOEWY R., *Design industriel*, Chêne-Hachette, Paris, 1979.
[46] BENOIT J. et P., *Décentralisation à l'affiche. Stratégie de communication publicitaire*, Nathan, Paris, 1989.
[47] LE NET M., *L'État-annonceur*, Éditions d'organisation, 1982.
[48] « Maires et fils de pub », *Territoires*, novembre 1988.
[49] MIEGE B., *La Société conquise par la communication*, Presses universitaires de Grenoble, 1989.
[50] SCRIVENER C., *Rapport sur le rôle, la responsabilité et l'avenir de la publicité*, La Documentation française, Paris, 1979.
[51] BODDEWYN J.J., *Advertising Self-Regulation and Outside Participation. A Multinational Comparaison*, NY, Quorum, 1988.
[52] THE INTERPUBLIC GROUP OF COMPANIES, *Annual Report 1986.*
[53] BARTHES R., *Mythologies*, Le Seuil, Paris, 1957.
[54] BAUDRILLARD J., *La Société de consommation*, Denoël, Paris, 1970.

[55] LELLOUCHE R., « Publicité, aliénation, éthique : quelques réflexions philosophiques sur les médias, la télévision et la publicité », *Télévision et publicité*, IREP, 1987.
[56] PACKARD V., *La Persuasion clandestine*, Calmann-Lévy, Paris, 1984.
[57] BARAN P., SWEEZY P., *Le Capitalisme monopoliste*, Maspero, Paris, 1970.
[58] GALBRAITH J.K., *Le Nouvel État industriel*, Gallimard, Paris, 1979.
[59] CERTEAU (DE) M., *Arts de faire*, 10/18, Paris, 1980.
[60] LEFEBVRE H., *Critique de la vie quotidienne*, L'Arche, Paris, 1958.
[61] HAUG W., *Critique of Commodity Aesthetics*, Cambridge, Polity, 1986 (éd. orig. en allemand, 1971).
[62] EWEN S., *Consciences sous influence*, Aubier, Paris, 1983.
[63] HABERMAS J., *L'Espace public*, Payot, Paris, 1978 (éd. orig., 1962).
[64] LAUFER R., PARADEISE C., *Le Prince bureaucrate*, Flammarion, Paris, 1982.
[65] SCHILLER H., *The Mind Managers*, Beacon Press, Boston, 1973.
[66] MATTELART A., *Multinationales et systèmes de communication*, Anthropos, Paris, 1976.
[67] HENRY H., *Towards a Better Understanding of the Economics of Television Advertising*, ITV, Londres, avril 1988.
[68] LANCASTER K.M., YAGUCHI D., « How Economists Have Treated Advertising », *Journal of Advertising History*, octobre 1983.
[69] WEISS E.B., « What's Ahead for Admen, Starting Third 100 Years », *Advertising Age*, 19 avril 1976.

Ouvrages sur les médias

BEAUD P., *La Société de connivence*, Aubier, Paris, 1984.
BRETON Ph., PROULX S., *L'Explosion de la communication*, La Découverte, Paris, 1989.
COSTE N., LE DIBERDER A., *La télévision*, La Découverte, coll. « Repères », Paris, 1986.
GOURNAY (DE), MUSSO P., PINEAU G., *Télévisions déchaînées*, La Documentation française, Paris, 1985.

MATTELART A. et M., *Penser les médias*, La Découverte, Paris, 1986.
MIÈGE B., SALAUN J.M., PAJON P., *L'Industrialisation de l'audiovisuel*, Aubier, Paris, 1986.
PALMER M., *Des petits journaux aux grandes agences. La naissance du journalisme moderne*, Aubier, Paris, 1983.

Sources françaises sur le marché publicitaire

• *L'Institut de recherches et d'études publicitaires (IREP)* — association 1901 — réalise depuis la fin des années soixante une étude annuelle sur le marché publicitaire français. L'enquête s'adresse aux annonceurs, agences et principaux supports (presse, radio, télévision, cinéma, affichage). Effectuée en décembre, elle est publiée en janvier.

• *L'Association des agences conseils en communication (AACC)* — qui regroupe 150 agences, soit 75 % du marché — publie une note trimestrielle de conjoncture sur l'activité de ses adhérents et sur l'évolution du *média planning* des budgets publicitaires (structure des achats d'espace selon le type de support) à partir des données SECODIP.

• *La Société d'études de la consommation, distribution et publicité (SECODIP)* diffuse les résultats des piges publicitaires, permettant d'analyser l'évolution et la répartition des dépenses publicitaires par type de produit et pour les principaux médias. La « pige » étant l'opération de comptabilisation des annonces, leur classement et le calcul de leur coût (voir chapitre III, 1).

• *Le Centre d'études des supports de publicité (CESP)* étudie les audiences. Il comprend des représentants des annonceurs, des agences et des supports. Fondé en 1958.

Table

COLLECTION "REPÈRES"

Les grandes questions internationales

Le capitalisme historique, Immanuel Wallerstein (n° 29).
Le commerce international, Michel Rainelli (n° 65).
L'économie des armes, Jacques Fontanel (n° 3).
L'économie des États-Unis, Monique Fouet (n° 80).
L'économie mondiale, Denis Auvers (n° 52).
L'économie mondiale des matières premières, Pierre-Noël Giraud (n° 76).
L'économie néo-classique, Bernard Guerrien (n° 73).
L'économie de la RFA, Magali Demotes-Mainard (n° 77).
L'Europe, Christian Hen, Jacques Léonard (n° 35).
Inflation et désinflation, Pierre Bezbakh (n° 48).
L'Islam, Anne-Marie Delcambre (n° 82).
Le monde du soja, J-P. Bertrand et *alii* (n° 5).
Les multinationales, Wladimir Andreff (n° 54).
Le pétrole, Agnès Chevallier (n° 46).
La population mondiale, Jacques Vallin (n° 45).
Les théories des crises économiques, Bernard Rosier (n° 56).
Le tiers monde, Henri Rouillé d'Orfeuil (n° 53).
Les transferts de technologie, Jacques Perrin (n° 7).

Les problèmes financiers et monétaires

Les banques, Claude J. Simon (n° 21).
La Bourse, Michel Durand (n° 4).
Le budget de l'État, Maurice Baslé (n° 33).
Le Crédit agricole, André Gueslin (n° 31).
La dette du tiers monde, Pascal Arnaud (n° 19).
Le dollar, Monique Fouet (n° 36).
La monétique, Nezih Dinçbudak, Ugur Müldür (n° 55).
La monnaie et ses mécanismes, Monique Béziade (n° 70).
Les nouveaux produits financiers, Jacques Régniez (n° 60).

A l'Est, du nouveau ?

La crise dans les pays de l'Est, Marcel Drach (n° 24).
L'économie chinoise, Françoise Lemoine (n° 39).
L'économie de l'URSS, Gérard Duchêne (n° 58).
Travail et travailleurs en URSS, Jacques Sapir (n° 15).

COLLECTION "REPÈRES"

(suite)

Classer, compter, mesurer

Les catégories socioprofessionnelles, Alain Desrosières et Laurent Thévenot (n° 62).
La comptabilité, Michel Capron (n° 37).
La comptabilité nationale, Jean-Paul Piriou (n° 57).
L'indice des prix, Jean-Paul Piriou (n° 9).
Les sondages d'opinion, Hélène Meynaud, Denis Duclos (n° 38).

Le travail et l'emploi face à la crise

Le chômage, Jacques Freyssinet (n° 22).
Les coopératives de production, Danièle Demoustier (n° 20).
L'emploi en France, Dominique Gambier et Michel Vernières (n° 68).
L'ergonomie, Maurice de Montmollin (n° 43).
La formation professionnelle continue, Claude Dubar (n° 28).
Les nouvelles politiques sociales du patronat, Pierre Morville (n° 30).
La réduction de la durée du travail, Gabriel Tahar (n° 34).
Les retraites, Edgard Andréani (n° 47).
La santé et le travail, Denis Duclos (n° 17).
Le syndicalisme face à la crise, René Mouriaux (n° 50).
Travail et travailleurs au Chili, Cecilia Casassus Montero (n° 26).
Travail et travailleurs en Grande-Bretagne, François Eyraud (n° 32).

Les enjeux des nouvelles technologies

Les biotechnologies, Chantal Ducos, Pierre-Benoît Joly (n° 61).
La bureautique, Éric Verdier (n° 2).
Les énergies nouvelles, Philippe Barbet (n° 10).
La guerre des étoiles, Carlos de Sa Rêgo, F. Tonello (n° 40).
Informatique et libertés, Henri Delahaie, Félix Paoletti (n° 51).
L'informatisation et l'emploi, Olivier Pastré (n° 1).
Le nucléaire, Jean-Pierre Angelier (n° 6).
La robotique, Benjamin Coriat (n° 12).
Les télécommunications, Bruno Aurelle (n° 42).

COLLECTION "REPÈRES"
(suite)

La France d'aujourd'hui

Les associations, Solange Passaris, Guy Raffi (n° 25).
Les cheminots, Georges Ribeill (n° 18).
Le commerce extérieur de la France, Françoise Milewski (n° 71).
Le comportement électoral des Français, Colette Ysmal (n° 41).
La consommation des Français, Nicolas Herpin et Daniel Verger (n° 67).
La décentralisation, Xavier Frège (n° 44).
L'immigration, Albano Cordeiro (n° 8).
L'industrie automobile, Géraldine de Bonnafos et *alii* (n° 11).
Les jeunes, Olivier Galland (n° 27).
Les médecins, Michel Arliaud (n° 59).
Nouvelle histoire économique de la France contemporaine :
2. *L'industrialisation (1830-1914),* Patrick Verley (n° 78).
4. *L'économie ouverte (1948-1990),* André Gueslin (n° 79).

Le patrimoine des Français, André Babeau (n° 81).
La presse en France, Yves Guillauma (n° 63).
La protection sociale, Numa Murard (n° 72).
Les policiers, Pierre Demonque (n° 13).
La population française, Jacques Vallin (n° 75).
Les revenus en France, Yves Chassard, Pierre Concialdi (n° 69).
La science économique en France, collectif (n° 74).
La sociologie en France, collectif (n° 64).
La télévision, Alain Le Diberder, Nathalie Coste-Cerdan (n° 49).
Les travailleurs sociaux, Jacques Ion, Jean-Paul Tricart (n° 23).

Composition Facompo, Lisieux (Calvados) — Achevé d'imprimer en janvier 1990 sur les presses de l'imprimerie Carlo-Descamps, Condé-sur-l'Escaut (Nord) — Dépôt légal : janvier 1990 — Numéro d'imprimeur : 6207 — Premier tirage : 7 000 exemplaires — ISBN 2-7071-1916-4